LA FRANCE EN AFRIQUE

Cette collection s'adresse prioritairement aux étudiants de niveau
Licence/Baccalauréat du premier cycle universitaire et/ou BTS-DUT,
en leur procurant un aperçu condensé et un outil de révision des matières enseignées.
Certains ouvrages sont également destinés aux niveaux Master, voire Doctorat

Économie

ASENSIO A., *Le fonctionnement des économies de marché. Micro et macroéconomie de l'équilibre général*
BLANCHETON B., *Histoire de la mondialisation*
FARVAQUE E., PATY S., *Économie de la démocratie*

Marketing

DUPONT É., *Développer et lancer un nouveau produit*
JOLY B., *La communication*
JOLY B., *Le marketing*

Politique

COPINSCHI PH., *La fin du pétrole. Vie et mort d'une ressource stratégique, à paraître (2009)*
GOUNIN Y., *La France en Afrique. Le combat des Anciens et des Modernes*
RIBÉMONT TH., *Introduction au droit des étrangers en France, à paraître (2010)*
TÉTART FR., *Nationalismes en Europe. Un phénomène actuel, à paraître (2009)*

LE POINT SUR...
Politique

LA FRANCE
EN AFRIQUE

Yves Gounin

Le combat des Anciens
et des Modernes

Préface de Jean-Christophe Rufin

de boeck

Conseil éditorial : Marc Germanangue

Pour toute information sur notre fonds et les nouveautés dans votre domaine de spécialisation, consultez notre site web : **www.deboeck.com**

© Groupe De Boeck s.a., 2009   1re édition
Éditions De Boeck Université
rue des Minimes 39, B-1000 Bruxelles

Imprimé en Belgique

Dépôt légal :
Bibliothèque Nationale, Paris : octobre 2009   ISSN 2030-207X
Bibliothèque royale de Belgique, Bruxelles : 2009/0074/073   ISBN 978-2-8041-0221-0

Il est rare que les véritables acteurs de la relation franco-africaine parlent. Certains s'y résolvent parfois, dans un but trop évident d'autojustification. Les autres laissent le champ libre aux observateurs. La plupart de ceux qui écrivent sur ce sujet, si bien informés soient-ils, se situent à l'extérieur. Journalistes, universitaires, militants tiers-mondistes, ils observent la relation France-Afrique mais sont assez largement étrangers à ses mécanismes de décision. Leur vision est basée sur l'interprétation, mécanisme dont on sait par les psychiatres qu'il est au principe même de la paranoïa...

Ainsi la littérature courante sur le sujet a-t-elle contribué à faire de la relation France-Afrique la Marilyn Monroe de la science politique : un puissant sujet de fantasmes, un lieu où s'affrontent des pulsions primaires assez largement irrationnelles, tout cela recouvrant une réalité simple, assez prosaïque et surtout beaucoup plus fragile, dominée de part et d'autre par un immense besoin d'affection inassouvie.

L'auteur de ce livre, cette fois, dispose d'une véritable expérience dans le domaine. Il a exercé en Afrique, au nom de la France, des responsabilités importantes et multiples. Il a ainsi franchi la paroi de verre qui sépare le monde de l'observation de celui de l'action et de la décision. Son expérience, il ne la livre pas directement. Ce ne sont pas des mémoires qu'il nous présente. Il la met plutôt au service d'une réflexion dense et profonde ; il s'en sert pour prendre de la hauteur et tenter d'embrasser toute la fresque.

Voilà en quoi, par-delà l'élégance de son style et la rigueur de sa documentation, le livre d'Yves Gounin est utile : il tente de mettre de l'ordre dans un domaine tourmenté et assez largement ignoré. Tout en le simplifiant pour qu'il devienne compréhensible, il en restitue la richesse et la complexité. Il le dépouille d'une grande partie des idées fausses qui l'encombrent, pour mieux dégager les enjeux bien réels qu'elles masquent.

Le résultat est un livre qui « sonne juste ». Je ne sais pas si je me fais bien comprendre en utilisant ce mot. Bien souvent, en lisant ce que publient d'excellents auteurs, des journalistes de talent, dans « La lettre du Continent » par exemple, je me suis dit : les faits rapportés sont exacts, mais l'interprétation qui en est donnée n'est pas *juste*. Non qu'elle soit radicalement fausse. Mais elle manque l'enchaînement véritable des effets et des causes. Elle prête à certains des intentions clairvoyantes, alors qu'ils se sont contentés de subir. Elle confère à d'autres une puissance qui les flatte mais dont ils sont loin de disposer. Elle relie les points du graphe et dessinent la ligne d'un complot là où n'existent souvent qu'une somme quasi inextricable de hasards, de négligences et d'incompétences. Ailleurs, au contraire, elle semble accepter la génération spontanée d'événements dont on sait pourtant qu'ils ont été calculés et patiemment réalisés. Ainsi peut-on parvenir parfois à un résultat exact (les faits) mais par le détour d'un raisonnement faux (les causes).

Yves Gounin commence par nous présenter les acteurs de la relation franco-africaine. Il ne le fait pas en s'attachant aux détails futiles de cette vaste comédie de mœurs. Il s'interroge surtout sur les forces qui agissent en profondeur à travers ceux qui concourent à cette relation.

Il fonde son propos sur une analyse du passé mais ne s'y limite pas. Ce qui l'intéresse, c'est l'avenir et il a raison.

La relation franco-africaine est trop souvent perçue comme un encombrant héritage que le temps finira par dilapider. Sans cesse accusée de déserter le continent, la France reste pourtant un acteur majeur en Afrique. Et l'Afrique, Yves Gounin le montre, continue d'occuper une place importante dans notre vie économique et politique. Surtout, dans l'avenir que la France se constitue aujourd'hui, ce continent proche est appelé à jouer un rôle essentiel. Par ses peuples d'abord, puisqu'aujourd'hui les migrations ont profondément mêlé les deux espaces. Mais aussi par l'économie, car l'Afrique mondialisée est devenue un enjeu pour quantité d'acteurs nouveaux, un lieu où s'affrontent les grandes puissances du jour, un lieu où il est important de compter.

Ce livre intéressera tous ceux qui ont compris que sur ce terrain se joue le futur de notre pays, tous ceux qui repoussent le folklore, l'exotisme facile de la France-Afrique mythifiée, et qui veulent construire avec ce continent une relation fondée sur le respect, l'intérêt mutuel et la volonté de peser sur le monde de demain.

Jean-Christophe RUFIN

L'écriture de ce livre est née du constat d'une carence : l'absence d'un ouvrage synthétique sur la politique africaine de la France.

L'Afrique intéresse de moins en moins. On ne l'évoque à la télévision que sur un mode catastrophiste pour rendre compte des guerres civiles qui l'ensanglantent ou des catastrophes naturelles qui la frappent[1]. La presse écrite française, qui n'y a quasiment plus de correspondants permanents, n'en parle guère[2]. Les *think tank* lui accordent une place marginale : l'Ifri (Institut français des relations internationales) s'en désintéresse[3], l'Iris (Institut de recherches internationales et stratégiques) n'en traite qu'à travers les travaux de Philippe Hugon, le Ceri (Centre d'études et de recherches internationales), longtemps dirigé par un africaniste, Jean-François Bayart, n'y consacre plus que de rares articles. Quant à la communauté des « africanistes » du CNRS, elle fait le constat désillusionné de son émiettement dans le monde universitaire[4]. Les grands éditeurs en sciences humaines prennent rarement le risque de publier sur l'Afrique, laissant à des maisons plus confidentielles et moins bien distribuées (Karthala, L'Harmattan) le quasi-monopole de la diffusion d'une production universitaire en voie de ghettoïsation.

Cela ne signifie pas que l'on n'écrive plus sur l'Afrique. Le trimestriel *Politique africaine* rassemble les meilleurs experts français du continent dans une publication qui n'a pas son pareil, en langue française, s'agissant de l'Asie ou de l'Amérique latine. Destinés à un public étudiant pour l'aider dans la préparation des concours, des manuels plus ou moins fouillés sont régulièrement signés par les grands spécialistes français de l'Afrique : Roland Pourtier[5], Sylvie Brunel[6], Elikia M'Bokolo[7],

---

1.   Nathalie Monnot-Samson, *Afrique noire : 20 ans d'images à la télévision française (1975-1995)*, Mémoire de DEA, Centre de recherches africaines, Paris-I.
2.   Stephen Smith évoque une étude non publiée réalisée à l'Université de Duke de Durham (Caroline du Nord) qui montre qu'au premier trimestre 2005 « l'Afrique a fait (...) plus souvent la 'une' du *New York Times* et du *Washington Post* que du *Monde* ou du *Figaro* » (« France-Afrique : l'adieu aux "ex-néo-colonies" », *Le Débat*, n° 137, nov.-déc. 2005, p. 82)
3.   La situation a toutefois changé depuis la création en 2008 du programme Afrique subsaharienne de l'Ifri sous l'impulsion de Alain Antil, spécialiste reconnu de la Mauritanie.
4.   Dominique Darbon, « Réflexions sur l'africanisme en France », Rapport pour le CNRS, 2003. Ce document est accessible en ligne à l'adresse suivante : http://www.etudes-africaines.cnrs.fr/pdf/rapport_africanisme.pdf. La validité de cette adresse électronique – ainsi que de toutes celles mentionnées dans cet ouvrage – a été vérifiée le 25 juin 2009.
5.   Roland Pourtier, *Afriques noires*, Hachette, coll. Carré Géographie, 2000.
6.   Sylvie Brunel, *L'Afrique*, Bréal, 2004.
7.   Elikia M'Bokolo (dir.), *Afrique noire : histoire et civilisation (du XIXᵉ siècle à nos jours)*, Hatier, 2004.

Catherine Coquery-Vidrovitch[8], etc. Proches de l'altermondialisme, François-Xavier Verschave et l'association *Survie* ont trouvé leur public en vilipendant les dérives de la Françafrique[9]. Ils ont croisé le fer avec Antoine Glaser et Stephen Smith qui, eux aussi, font la chronique du retrait de la France du continent africain[10] tout en imputant une part de la responsabilité des maux qui accablent l'Afrique aux Africains eux-mêmes[11]. La « nostalgie coloniale » continue quant à elle à inspirer des mémoires écrites par les derniers acteurs encore en vie de l'époque coloniale[12].

Cela ne signifie pas que l'on ne s'intéresse pas de plus en plus à la situation des Africains en France. Longtemps marginalisée dans l'histoire des décolonisations comme dans celle de l'immigration par l'intérêt porté à la guerre d'Algérie et à la communauté maghrébine en France, la « condition noire » – tiraillée il est vrai entre ses composantes antillaise et africaine – s'affirme depuis quelques années avec force. Le vote de la loi Taubira en 2001, la création du Conseil représentatif des associations noires (Cran) en 2005 ou du trophée des arts afro-caribéens en 2006, l'instauration d'une journée de commémoration de la mémoire de l'esclavage en 2006 sont autant d'étapes de cette prise de conscience. Une abondante production littéraire – qui ne se limite pas à la seule question africaine mais a l'ambition d'embrasser l'ensemble de cette « fracture coloniale »[13] – a accompagné ce mouvement.

---

8.   Catherine Coquery-Vidrovitch, *L'Afrique noire de 1800 à nos jours*, Nouvelle Clio, 2005.

9.   François-Xavier Verschave, *La Françafrique. Le plus long scandale de la République*, Stock, 1998 ; François-Xavier Verschave, *De la Françafrique à la Mafiafrique*, Tribord, coll. Flibuste, 2004.

10.   Antoine Glaser & Stephen Smith, *Comment la France a perdu l'Afrique*, Calmann-Lévy, 2005 (nous avons rendu compte de cet ouvrage dans *La Revue internationale et stratégique*, n° 62, été 2006, pp. 131-132).

11.   Stephen Smith, *Négrologie : pourquoi l'Afrique meurt*, Calmann-Lévy, 2003 (nous avons rendu compte de cet ouvrage dans *Politique étrangère*, 1/2004, printemps 2004, pp. 195-196).

12.   Pierre Messmer, *Les Blancs s'en vont*, Albin Michel, 1998 ; Michel Aurillac, L'Afrique à cœur, Berger-Levrault, 1987 ; Léon Lapeyssonnie, *Toubib des tropiques*, Robert Laffont, 1982 ; Raymond Gauthereau, *Journal d'un colonialiste*, Le Seuil, 1986.

13.   Il sera amplement question au chapitre 4 des travaux des chercheurs de l'Achac (Association pour la connaissance de l'histoire de l'Afrique contemporaine) sur la « fracture coloniale » et la « culture coloniale ».

Mais, à l'exception peut-être des ouvrages de Jean-Paul Gourévitch[14], la politique africaine de la France n'est jamais au centre de ces réflexions. On traite soit de l'Afrique, soit de la France, mais pas de ce que la France fait en Afrique.

Pourquoi la France a-t-elle une politique africaine ?

La réponse tient de l'évidence : parce qu'elle a colonisé une grande partie du continent. Cette réponse pose les limites géographiques de ce livre. Quand il sera question de l'Afrique – en usant d'un singulier générique qui semble méconnaître les spécificités locales de ce « continent pluriel »[15] – il s'agira essentiellement des anciennes colonies françaises de l'Afrique subsaharienne. On s'intéressera surtout aux anciennes colonies françaises non pas par mépris ou ignorance des autres pays africains, notamment des anciennes colonies anglophones, mais pour le simple motif que la France en fut longtemps absente et que, si elle affirme vouloir sortir de son « pré carré », cette déclaration est encore largement incantatoire. On se limitera à l'Afrique subsaharienne car les liens qu'elle y a noués sont d'une nature radicalement différente de ceux qui l'unissent à l'Algérie, au Maroc et à la Tunisie.

Quels sont les liens qui unissent la France à l'Afrique ?

Ils plongent leurs racines dans une histoire commune. Certes la colonisation a été fort brève, un siècle au Sénégal (où Saint-Louis fut fondé dès le XVIIe siècle mais Dakar en 1857 seulement), soixante ans à peine au Tchad au point que les historiens parlent parfois, quand ils évoquent l'histoire africaine sur la longue durée, de « parenthèse coloniale ». Mais le choc de la colonisation a été si radical que, aussi brève fût-elle, il a durablement traumatisé l'Afrique. Sans entrer dans le débat, somme toute stérile, des aspects positifs ou négatifs de la colonisation, il suffit d'en évoquer les traces : des frontières artificielles dont on a déjà mille fois dit

---

14. Il est notamment l'auteur de *L'Afrique, le fric, la France*, Le Pré aux Clercs, 1997, *La France africaine*, Le Pré aux Clercs, 2000 et *La France en Afrique. Cinq siècles de présence : vérités et mensonges*, Acropole, 2006.

15. Conscients de l'hétérogénéité de l'Afrique, certains auteurs évitent cet usage réducteur du singulier : le manuel de Roland Pourtier (Hachette, 2000) est intitulé « Afriques noires », celui de François Bart (Sedes, 2003) est sous-titré « Continent pluriel ». Mais la plupart des ouvrages n'évitent pas, en apparence tout au moins, l'écueil de cette approche globalisante. « L'Afrique » est, à tort appréhendée comme une aire culturelle homogène et un acteur univoque des relations internationales alors qu'on est plus prudent quand on traite de « l'Asie » ou de l'Amérique » (on préfère parler des Amériques).

qu'elles avaient été tracées sans tenir compte des réalités africaines ; des espaces polarisés autour des façades côtières, où se construisent les capitales des États nouvellement indépendants, au détriment des hinterlands ; des économies rentières tournées vers l'exportation de matières premières ; l'usage d'une langue commune, le français, qui facilite l'intercommunication mais porte toujours le péché originel d'avoir été imposée par le colon ; l'État importé que copient jusqu'à la caricature les nouvelles élites administratives africaines.

Voilà les traces, pour certaines indélébiles, laissées par la colonisation française en Afrique. Mais cette énumération ne répond pas à la question posée : pourquoi la France, cinquante ans après les décolonisations, a-t-elle encore une « politique africaine » (alors qu'on n'entend jamais parler de la « politique américaine », de la « politique chinoise » ou de la « politique russe » de la France) ? Quatre arguments sont souvent avancés dont la pertinence est discutable.

Première idée préconçue : si la France est active en Afrique, ce serait parce qu'elle partage avec ses anciennes colonies une histoire commune. Elle n'aurait pas le droit de se désintéresser du sort d'un continent dont elle a si durablement influencé le destin. L'argument est à double tranchant. Il fait de la France le débiteur de l'Afrique : responsable, en partie au moins, de l'état actuel de l'Afrique, la France a le devoir de l'aider. Mais il fait d'elle en même temps son créancier : l'histoire partagée donne à la France un statut différent de celui des autres puissances extra-africaines et peut lui laisser l'impression qu'elle a le droit de se mêler des affaires du continent.

Si la France s'intéresse tant à l'Afrique, entend-on en deuxième lieu, c'est qu'elle y trouve un surplus de puissance. Réduite aux seules frontières de l'Hexagone, la France est une tache à peine visible sur la carte du monde. Avec ses anciennes colonies, elle accède au statut de grande puissance. Les pays africains sont des alliés inconditionnels dans les organisations internationales où la France peut compter sur leur soutien. Il s'agit d'États francophones qui forment un môle de résistance à la domination universelle de la langue anglaise et de la culture américaine.

Troisième idée reçue : l'intérêt de la France pour l'Afrique s'expliquerait par les intérêts économiques qu'elle y a. Elle en importe les matières premières qui lui font cruellement défaut : le pétrole du Golfe de Guinée, l'uranium du Niger, le coton de la bande sahélienne, le cacao de Côte d'Ivoire, etc. Elle y exporte des biens de consommation courante et des biens d'équipement et y dégage des excédents commerciaux confortables. Les grands groupes français (BTP, transports, télécommunications, eau…) profitent des privatisations imposées par les institutions de Bretton Woods pour investir de façon parfois peu transparente les pans les plus rentables des économies africaines.

Dernier argument pour justifier l'intérêt de la France pour l'Afrique : les échanges humains. La France a fait venir chez elle quand elle en avait besoin une main d'œuvre immigrée qu'elle n'a pas su ou pas voulu intégrer et qui est aujourd'hui l'objet de discriminations raciales. Réciproquement, des milliers de Français s'expatrient en Afrique « pour y faire du CFA » et y perpétuent, par leurs comportements racistes de « petits Blancs », un apartheid de fait.

On aura compris, à leur simple lecture, la part d'outrance de ces quatre arguments. Les intérêts qu'on prête à la France font partie de cette cohorte d'idées reçues que l'Afrique charrie et qu'il faut mettre en perspective[16]. L'intérêt de la France pour l'Afrique a changé. Il est certes encore historique, géostratégique, économique, humain. Mais la construction européenne a considérablement érodé la place de l'Afrique dans la politique étrangère française. La France n'a plus besoin de l'Afrique pour faire entendre sa voix dans le monde. Le soutien des États membres de l'Union européenne est plus déterminant que celui de ses anciennes colonies. La défense de l'exception culturelle française est autant sinon mieux assumée par l'Europe – dont le soutien fut déterminant lors de l'adoption par l'Unesco de la convention sur la diversité culturelle d'octobre 2005 – que par l'Afrique. Il y a belle lurette que la prospérité économique de la France ne dépend plus de ses échanges avec l'Afrique : s'il est vrai que certains grands groupes français (Bolloré, Bouygues, Total, Accor, Air France…) y occupent des positions déterminantes, la zone franc ne représente plus guère que 1 % du commerce extérieur français et Nicolas Sarkozy n'a pas tort d'affirmer, fût-ce avec une pointe de provocation, que « la France n'a plus besoin économiquement de l'Afrique »[17].

---

16. Georges Courade (dir.), *L'Afrique des idées reçues*, Belin, 2006 (nous avons rendu compte de cet ouvrage dans *Politique africaine*, n° 107, oct. 2007, pp. 205-206) ; Hélène d'Almeida-Topor, *L'Afrique*, coll. « Idées reçues », Le Cavalier bleu, 2006.
17. Il a tenu ces propos à Bamako, le 18 mai 2006, alors qu'il était ministre de l'Intérieur (cf. *infra* p. 173).

L'Afrique, en France, est aujourd'hui considérée, à tort ou à raison, moins comme une opportunité que comme un risque. Risque de guerres civiles. Risque de famines. Risque d'explosion démographique. Risque de catastrophes sanitaires ou écologiques. Risque d'intégrisme religieux et de dérives terroristes. Tous ces risques transforment l'Afrique en un danger dont il faudrait se prémunir. Ce danger s'incarne dans une image traumatisante : celle du migrant africain embarqué au péril de sa vie dans une pirogue dérivant au large des Canaries ou de l'île italienne de Lampedusa, ou parti à l'assaut des barbelés qui protègent les enclaves espagnoles de Ceuta ou Melilla au Maroc. Obnubilés par ce « risque migratoire », les États européens en général, la France en particulier, ont tendance à réduire leur politique africaine à une politique d'endiguement de ce risque. C'est le sens du pacte européen sur l'immigration et l'asile signé le 7 juillet 2008 à l'instigation de la France dont le ministère de l'Immigration, de l'Identité nationale et du Développement solidaire est désormais étroitement associé à la définition et à la mise en œuvre de la politique africaine de la France[18].

Réciproquement, comment l'Afrique perçoit-elle l'action qu'y déploie la France ?

Les attitudes varient considérablement selon que l'on se situe en Afrique anglophone ou francophone. Ce qui frappe d'abord, c'est la dissymétrie : les anciennes colonies françaises connaissent bien mieux la France que celle-ci ne les connaît. Les Africains aisés ont tous, un jour ou l'autre, voyagé en France ; ceux qui n'ont pas cette chance, dans les classes moyennes, ont un parent, un ami qui a « fait la France ». La presse écrite consacre à l'actualité française une place sans commune mesure à celle que la presse généraliste française consacre à l'Afrique et la vie politique française, comme le championnat de football de Ligue 1, est suivie avec autant d'attention à Libreville qu'en métropole.

Ce qui déroute ensuite, ce sont les revendications paradoxales. La France est à la fois admirée et haïe, parfois dans un même souffle, dans un discours qui a toutes les apparences de la schizophrénie. La France reste un pays admiré pour son niveau de vie (c'est l'Eldorado qui fait rêver les migrants en quête d'une vie meilleure), pour la liberté de pensée qui y règne – et qui contraste avec la sclérose des proto-démocraties que connaissent nombre de pays Africains[19] – pour le

---

18. Le ministère de Eric Besson assure désormais le co-secrétariat du Comité interministériel de la coopération internationale et du développement (cf. *infra* p. 92).
19. Jean-François Médard, « Autoritarismes et démocrates en Afrique noire », *Politique africaine*, n° 43, octobre 1991, pp. 92-104.

rayonnement de sa culture. Mais en même temps la France est un pays critiqué. D'abord on lui reproche encore et encore d'être à l'origine des maux qui affligent l'Afrique. Même si, les années passant, la mémoire de la colonisation se fait moins vive, la tentation existe toujours de chercher, dans le passé colonial, la cause des problèmes contemporains. Ensuite, on instruit contre la façon dont elle se comporte en Afrique un double procès paradoxal : elle intervient, on la taxe de néo-colonialisme ; elle s'abstient, on l'accuse d'indifférence. Enfin et surtout, le racisme de la France, son absence de respect des Africains est l'objet d'une réprobation unanime. Les Africains ont le sentiment que les Français les considèrent encore et toujours, au mieux comme de grands enfants, au pire comme une « racaille » qu'il faut tenir à bout de gaffe. Ils vivent les difficultés à obtenir un visa pour venir en France comme une procédure humiliante.

Après la dissymétrie et la schizophrénie, le troisième fait marquant est que l'Afrique francophone sort inexorablement du tête-à-tête avec la France. Cela ne signifie pas (cf. *infra* chapitre 5) que la France ne soit plus le principal partenaire étranger ni encore une sorte de modèle. La France est encore la première ; mais elle n'est plus seule. Désormais, l'Afrique a d'autres partenaires vers lesquels elle se tourne lorsque la France lui tourne le dos. Face aux difficultés à obtenir des visas, face au racisme dont elle imagine que la société française est gangrenée, l'Afrique envoie de plus en plus ses enfants étudier au Canada. Les pays musulmans de la bande sahélienne sont aujourd'hui fascinés par les émirats du Golfe avec lesquels ils nouent des relations commerciales : le Sénégal préfère *Dubai Ports World* à Bolloré pour exploiter le port de Dakar avant d'accueillir le sommet des chefs d'État de l'Organisation de la Conférence islamique (OCI) en mars 2008. Plus personne n'ignore que la Chine a effectué ces dernières années une percée diplomatique et commerciale fulgurante sur le continent noir.

Présenter la politique française en Afrique n'est pas facile. Le plus simple aurait été d'en faire l'histoire. Or, cette ennuyeuse chronologie s'avère souvent frustrante pour le lecteur : elle donne trop d'importance à un passé que l'on connaît déjà par ailleurs, n'expose pas suffisamment le présent et éclaire encore moins l'avenir. Pour autant, ce refus de suivre la chronologie ne signifie pas qu'il faille tourner le dos à l'évolution récente de cette relation. Pour comprendre la coopération franco-africaine aujourd'hui, il faut prendre la mesure de ce qu'elle était hier, avant la symbolique rupture de 1994. Avant cette date s'était mis en place un « complexe » – l'expression est utilisée ici comme on parle du complexe militaro-industriel – dont le centre de commandement était situé à Paris et les tentacules en Afrique. Ce « complexe » entre dans les années 90 dans une crise dont on n'est pas encore sorti. La politique française en Afrique oscille entre le conservatisme qui nie cette crise et continue à traiter l'Afrique comme elle l'était naguère, et le réformisme qui entend la dépasser en normalisant le traitement dont bénéficie l'Afrique. Les deux premiers chapitres décrivent cette évolution hésitante et contradictoire.

Cette mise en perspective permet de mieux comprendre ce qu'est aujourd'hui la coopération franco-africaine : une relation complexe, en réforme permanente, où plusieurs acteurs ministériels, civils et militaire, agissent sans toujours s'accorder. Sa description est l'objet du troisième chapitre. L'accent est mis sur les acteurs plus que sur les structures : on verra comment les agents de la « Coop' » craignent de perdre leur spécificité dans la disparition du ministère de la coopération ; on étudiera la culture d'armes des troupes de marine, mises à mal par l'européanisation de la politique militaire de la France en Afrique. Ce parti pris sociologique a ses limites : l'action des agents n'est pas toujours réductible aux logiques des corps auxquels ils appartiennent. Mais elle donne un éclairage inédit à des réformes administratives trop souvent appréhendées de l'unique point de vue des structures.

La relation franco-africaine est compliquée par deux facteurs qui sont au centre des quatrième et cinquième chapitres. L'un est, si l'on peut dire, temporel. La relation franco-africaine est polluée par un « passé qui ne passe pas ». Il ne s'agit pas ici de faire l'histoire, encore moins le bilan, de l'esclavage, de la colonisation et des décolonisations, mais de montrer l'actualité de ces mémoires concurrentes. L'autre facteur de complexité est, lui, spatial. La France n'est plus seule dans son pré carré africain. Elle est désormais concurrencée par d'autres acteurs : la Chine, l'Inde, le Brésil prennent pied en Afrique tandis que les États-Unis et le Japon s'y intéressent de plus en plus.

*　　*
*

La relation franco-africaine reste d'une exceptionnelle densité. Il est peu de régions du monde où la France soit aussi présente même si elle n'y fait plus la loi. Réciproquement, la France demeure aux yeux des Africains un Eldorado à la fois admiré et haï. Pourtant malgré l'intensité des liens franco-africains, la méfiance domine encore.

Évidemment rien ne la laisse deviner dans les vibrantes déclarations d'amitié que les dirigeants français et africains échangent lors des rencontres internationales. On y répète *ad nauseam* l'histoire commune, la langue partagée, l'attachement identique à un monde multipolaire respectueux de la différence des cultures. Mais ces toasts diplomatiques cachent l'essentiel. Alors que la France a réussi à nouer depuis 40 ans une relation de travail de plus en plus confiante avec ses voisins européens, rien de tel ne s'est construit avec l'Afrique depuis les indépendances. De part et d'autre, la vérité oblige à dire que la méfiance est forte. Les Français se méfient des Africains dont ils mettent en cause la fiabilité : la corruption omniprésente, la trahison de la parole donnée, une relation au temps qui fait mauvais ménage avec le respect des délais et de la ponctualité feraient des Africains des partenaires peu sûrs. Réciproquement, les Africains accumulent les griefs à l'égard des Français : ils auraient trahi leur responsabilité historique en abandonnant l'Afrique à son sort ; ils dénieraient aux Africains le droit de décider souverainement de leur destin, ils feraient montre de racisme en persistant à traiter les Africains comme de grands enfants.

Bien sûr, ces perceptions sont faussées. La réalité n'est pas si caricaturale ; les Africains comme les Français ont changé plus vite que la conscience qu'ils en ont. Mais ces idées reçues ont la vie dure et continuent à parasiter le dialogue franco-africain. Si ce petit livre réussit à dissiper certains de ces malentendus, il n'aura pas été tout à fait inutile.

ACHAC	Association pour la connaissance de l'histoire de l'Afrique contemporaine
ACP	Pays Afrique Caraïbes Pacifique
ADETEF	Association pour le développement des échanges en technologie économique et financière
AEF	Afrique équatoriale française
AFCCRE	Association française du conseil des communes et régions d'Europe
AFD	Agence française de développement
AFP	Agence France presse
AMIB	African mission in Burundi
AMIS	African mission in Sudan
AOF	Afrique occidentale française
APD	Aide publique au développement
APE	Accords de partenariat économique
BAD	Banque africaine de développement
BIMA	Bataillon d'infanterie de marine
BM	Banque mondiale
BMATTs	British Military Advisory and Training Teams
CAD	Comité d'aide au développement de l'OCDE
CAPDIV	Cercle d'action pour la diversité de la France
CCCE	Caisse centrale de coopération économique
CCD	Commission coopération développement
CCFD	Comité catholique contre la faim et pour le développement
C2D	Contrat de désendettement et de développement
CEDEAO	Communauté économique des États de l'Afrique de l'Ouest
CEEAC	Communauté économique des États de l'Afrique centrale
CEMA	Chef d'état-major des armées
CEMAC	Communauté économique et monétaire de l'Afrique centrale
CERI	Centre d'études et de recherches internationales
CFD	Caisse française de développement
CGLU	Cités et gouvernements locaux unis
CICID	Comité interministériel de la coopération internationale et du développement
CIJ	Cour internationale de justice
CMIDOME	Centre militaire d'information et de documentation sur l'outre-mer et l'étranger
CNCCEF	Comité national des conseillers du commerce extérieur de la France
COCAC	Conseiller de coopération et d'action culturelle
COFACE	Compagnie française d'assurance pour le commerce extérieur
COPS	Comité politique et de sécurité de l'Union européenne
CPI	Cour pénale internationale
CPLP	Communauté des pays de langue portugaise
CPME	Comité pour la mémoire de l'esclavage
CRAN	Conseil représentatif des associations noires de France
CUF	Cités Unies France

DAECL	Délégué à l'action extérieure des collectivités locales (au ministère des Affaires étrangères)
DAH	Délégation à l'action humanitaire (au ministère des Affaires étrangères)
DAM	Direction des affaires africaines et malgaches (au ministère des Affaires étrangères)
DAOI	Direction d'Afrique et de l'océan Indien (au ministère des Affaires étrangères)
DCE	Direction de la coopération européenne (au ministère des Affaires étrangères)
DCMD	Direction de la coopération militaire et de défense (au ministère des Affaires étrangères)
DCP	Document cadre de partenariat
DfID	Department for International Development
DGCID	Direction générale de la coopération internationale et du développement (au ministère des Affaires étrangères)
DGMDP	Direction générale de la mondialisation, du développement et des partenariats (au ministère des Affaires étrangères)
DGRCST	Direction générale des relations culturelles, scientifiques et techniques (au ministère des Affaires étrangères)
DGSE	Direction générale de la sécurité extérieure (au ministère de la Défense)
DGTPE	Direction générale du trésor et de la politique économique (au ministère de l'Économie et des Finances)

DPKO	Department of PeaceKeeping Operations (Département des opérations de maintien de la paix)
ECPAD	Établissement de communication et de production audiovisuelle de la défense
ECOMOG	Economic Community of West African States Cease-fire Monitoring Group (Brigade de surveillance du cessez-le-feu de la CEDEAO)
ENA	École nationale d'administration
ENFOM	École nationale de la France d'outre-mer
EMSOME	École militaire de spécialisation de l'outre-mer et de l'étranger
ENVR	École nationale à vocation régionale
FAC	Fonds d'aide et de coopération
FAR	Forces armées rwandaises
FAZSOI	Forces armées de la zone sud de l'Océan indien
FCI	France coopération internationale
FED	Fonds européen de développement
FEM	Fonds pour l'environnement mondial
FFCV	Forces françaises du Cap-Vert
FFDJ	Forces françaises à Djibouti
FFG	Forces françaises au Gabon
FIDES	Fonds d'investissement et de développement économique et social
FMI	Fonds monétaires international
FPR	Front patriotique rwandais

Franc CFA	Franc des colonies françaises d'Afrique rebaptisé Franc de la communauté financière d'Afrique	MINUL	Mission des Nations unies au Liberia
FSP	Fonds de solidarité prioritaire	MINURSO	Mission des Nations unies pour l'organisation d'un référendum au Sahara occidental
GAVI	Alliance mondiale pour les vaccins et l'immunisation	MINUS	Mission des Nations unies au Soudan
GTI	Groupe de travail international sur la Côte d'Ivoire	MONUC	Mission de l'organisation des Nations unies en République démocratique du Congo
HCCI	Haut conseil de la coopération internationale	MAAO	Musée des arts africains et océaniens
ICG	International Crisis Group		
IFFIm	Facilité internationale de financement pour la vaccination	NEPAD	Nouveau partenariat pour le développement de l'Afrique
IFRI	Institut français des relations internationales	NUOI	Direction des Nations unies et des organisations internationales
IGAD	Intergovernmental Authority on Development (autorité intergouvernementale sur le développement)	OCI	Organisation de la conférence islamique
		OMP	Opération de maintien de la paix
IRIS	Institut de recherches internationales et stratégiques	ONG	Organisation non gouvernementale
LOLF	Loi organique relative aux lois de finances	ONUCI	Opération des Nations unies en Côte d'Ivoire
MAAIONG	Mission d'appui à l'action internationale des ONG	OPEX	Opération extérieure
MAC	Mission d'aide et de coopération	OSI	Organisation de solidarité internationale
MAE	Ministère des affaires étrangères	OUA	Organisation de l'unité africaine
MEDEF	Mouvement des entreprises de France	PAS	Programme d'ajustement structurel
MEF	Mission économique et financière	PECO/NEI	Pays d'Europe centrale et orientale et nouveaux États indépendants de l'ex-URSS
MINUAD	Mission conjointe des Nations unies et de l'Union africaine au Darfour	PEE	Poste d'expansion économique
MINUAR	Mission des Nations unies pour l'assistance au Rwanda	PESC	Politique extérieure et de sécurité commune
MINUEE	Mission des Nations unies en Ethiopie et en Erythrée	PESD	Politique européenne de sécurité et de défense

PLF	Projet de loi de finances
PPTE	Pays pauvres très endettés
RDA	Rassemblement démocratique africain
RDC	République démocratique du Congo (ex-Zaïre)
RDR	Rassemblement des républicains de Côte d'Ivoire
RECAMP	Renforcement des capacités africaines de maintien de la paix
RGPP	Révision générale des politiques publiques
RIAOM	Régiment interarmes d'outre-mer
RIMA	Régiment d'infanterie de marine
RPIMA	Régiment de parachutistes d'infanterie de marine
RTS	Régiment de tirailleurs sénégalais
SAC	Service d'action civique
SADC	South African Development Community (Communauté de développement d'Afrique australe)

SCAC	Service de coopération et d'action culturelle
SDECE	Service de documentation extérieure et de contre-espionnage
SEM	Société d'économie mixte
TDM	Troupes de marine
TICAD	Tokyo International Conference on African Development (Conférence internationale de Tokyo sur le développement de l'Afrique)
TSCTI	Trans-saharan counter-terrorism initiative (Initiative transaharienne de lutte contre le terrorisme)
UA	Union africaine
UEMOA	Union économique et monétaire ouest-africaine
UMA	Union du Maghreb arabe
USAID	United States Agency for International Development (Agence des États-Unis pour le développement international)
UTA	Union des transports aériens
ZHS	Zone humanitaire sûre
ZSP	Zone de solidarité prioritaire

LA FIN DU «COMPLEXE» (1948-1994)

Depuis la colonisation, un « complexe » franco-africain s'est mis en place. Il a survécu avec une étonnante résistance aux grands événements du XXᵉ siècle (1). Pourtant, sous l'effet d'une multiplicité de facteurs, ce complexe est entré en crise depuis une quinzaine d'années (2).

1   UN « COMPLEXE » FRANCO-AFRICAIN QUI A SURVÉCU À LA DÉCOLONISATION

Depuis les premiers temps de la colonisation française en Afrique noire s'est mis en place un système politique et économique qui, bon an mal an, a survécu jusqu'à la fin du XXᵉ siècle. L'affirmation peut surprendre tant l'Afrique a vécu au cours de ce siècle des modifications considérables (Seconde guerre mondiale, indépendances, Guerre froide) dont on aurait pu croire *a priori* qu'elles modifieraient de fond en comble la nature de ses relations avec la France. Et il serait sans doute excessif d'affirmer que rien n'a changé entre 1895 [1] et 1994 [2]. Pour autant, c'est la continuité des comportements et plus encore des mentalités qui doit retenir l'attention là où une présentation platement chronologique de la relation franco-africaine postule des ruptures trompeuses.

---

1.   Date de création de l'Afrique occidentale française (AOF).
2.   Comme on le verra *infra* 2.2., avec la dévaluation du franc CFA, les funérailles de Félix Houphouët-Boigny et l'opération Turquoise au Rwanda, l'année 1994 marque une triple rupture dans les relations franco-africaines.

1.1   « Mieux vaut changer le nom et garder la chose »[3]

1.1.1 *Fallacieuses discontinuités...*

La quasi-totalité des colonies françaises d'Afrique subsaharienne accèdent à l'indépendance en 1960. La Guinée de Sékou Touré avait franchi le pas deux ans plus tôt suite à son refus d'adhérer à la Communauté franco-africaine proposée par le général de Gaulle. En Afrique orientale, les Comores n'accédèrent à l'indépendance qu'en 1975 et Djibouti en 1977.

Les indépendances africaines se déroulent sans violence. C'est le résultat d'une négociation qui parfois s'est tenue à fronts renversés, entre un colonisateur pressé de se débarrasser d'un fardeau que le cartiérisme[4] brocarde et des colonisés inquiets de maintenir un lien avec la France. C'est une différence significative avec la situation qui prévaut en Indochine ou au Maghreb. Cette décolonisation pacifique est pour beaucoup dans le fait que les liens noués avec l'Afrique noire ne soient pas brutalement tranchés comme ils l'ont été en Asie du Sud-est ou en Afrique du Nord.

Sur le terrain, rien ne change, ou si peu. Du jour au lendemain, les « indigènes » se voient doter d'une souveraineté qu'ils ne semblent pas avoir vraiment voulue et qu'ils sont en tout état de cause incapables, selon l'opinion des colons de l'époque, d'assumer. Les témoignages des administrateurs coloniaux qui, pour certains, sont restés en poste après les indépendances, souvent dans le même pays, à des fonctions identiques, parfois dans le même bureau, sont à ce titre éloquents[5]. Nombreux sont ceux qui trouvent leur place dans le nouveau dispositif de coopération mis en place par la France : les ambassadeurs en Afrique noire et à Madagascar comme les tous premiers chefs des missions d'aide et de coopération (MAC) qui relèvent du nouveau ministère de la Coopération sont d'anciens administrateurs de

---

3.   *Marchés coloniaux*, 23 novembre 1946, p. 1233 cité par Jean Suret-Canale, « Difficultés du néo-colonialisme français en Afrique tropicale » in *Revue canadienne des études africaines*, volume VIII, n° 2, 1974, p. 212.

4.   Dans un article du 18 août 1956, le journaliste de *Paris-Match* Raymond Cartier dénonce le coût exorbitant des colonies appelant à financer « plutôt la Corrèze que le Zambèze ».

5.   Jean Clauzel (dir.), *La France d'outre-mer (1930-1960). Témoignages d'administrateurs et de magistrats*, Karthala, coll. Hommes et sociétés, 2003.

la France d'outre-mer[6]. Mieux encore, des conseillers français, souvent choisis parmi les anciens administrateurs coloniaux, sont mis à la disposition des Présidents africains et de leurs ministres au titre de l'assistance technique. La jolie formule d'Edgar Faure – « l'indépendance dans l'interdépendance » – acquiert tout son sens.

Les jeunes États africains reproduisent les structures de l'État occidental[7]. Leurs Constitutions acclimatent non sans dérive le système présidentialiste de la Ve République, concentrant le pouvoir entre les mains du Chef de l'État et minimisant le rôle des corps intermédiaires (mise au pas des Assemblées, inféodation de la Justice, entraves à la liberté de la presse, création de partis uniques...). Leurs administrations copient, parfois jusqu'à la caricature, les cadres administratifs français[8]. Leurs armées se constituent avec des matériels et des formateurs fournis par la France. Et ce phénomène se réalise avec la complicité de la France qui met à la disposition des jeunes États des contingents d'expatriés dont le nombre dépasse paradoxalement celui des Français en Afrique au temps des colonies : alors que le nombre des administrateurs coloniaux en Afrique subsaharienne était inférieur à 7 000 en 1956[9], il y a en 1963 8 749 coopérants civils dans les États africains nouvellement indépendants, 9 364 en 1973 et 10 292 en 1980[10].

---

6.   Julien Meimon, En *quête de légitimité. Le ministère de la Coopération (1959-1999)*, thèse de science politique, Université Lille-II, 2005, p. 102. Nous remercions l'auteur pour l'aimable communication de sa thèse.

7.   Bertrand Badie, *L'État importé. Essai sur l'occidentalisation de l'ordre politique*, Fayard, 1992 ; Jean-François Bayart, *L'État en Afrique. La politique du ventre*, Fayard, 1989.

8.   Au détour d'un manuel de droit public écrit en 1970 par deux coopérants français, on trouve déjà une telle critique : « *Cette tendance à l'imitation des structures et des mécanismes français a donné lieu à des excès dans certains cas ; c'est devenu un lieu commun de dénoncer ceux qui veulent à tout prix et dans tous les cas faire "même chose toubab" et aboutissent parfois à des résultats parfaitement inadaptés. La présence de plusieurs centaines de fonctionnaires français qui jouent un rôle notable, au titre de l'assistance technique, dans l'élaboration des textes sénégalais, n'est évidemment pas étrangère à cette tendance ; il faut cependant signaler que la volonté d'assimilation vient souvent des fonctionnaires ou des ministres sénégalais soucieux de ne pas avoir d'institution "au rabais"* » (Jean-Claude Gautron, Michel Rougevin-Baville, *Droit public du Sénégal*, Pédone, 1970).

9.   Antoine Glaser & Stephen Smith, *Comment la France a perdu l'Afrique*, Calmann Lévy, 2005, p. 53 (nous avons rendu compte de cet ouvrage dans *La Revue internationale et stratégique*, n° 62, été 2006, pp. 131-132).

10.   Ministère de la Coopération, *L'assistance technique française (1960-2000)*, Paris, 1994, La Documentation française, p. 107.

Les Chefs d'État africains ne répugnent pas à s'entourer de collaborateurs français. Au contraire. « Ces Français me sont utiles. Si j'avais un directeur de cabinet et un secrétaire général ivoirien, je serais colonisé par les Baoulés ou par d'autres » confie Félix Houphouët-Boigny à Jacques Foccart[11]. Ainsi un ancien de l'École nationale de la France d'outre-mer (ENFOM), Guy Nairay, dirige-t-il le cabinet du président ivoirien de 1960 à 1993. Un autre haut fonctionnaire français, Alain Belkiri, tient en Côte d'Ivoire le Secrétariat général du Gouvernement.

Jean Collin l'Africain [12]

Jean Collin est né à Paris le 19 septembre 1924. Après son baccalauréat, il entre en 1943 à l'École nationale de la France d'Outre-mer (ENFOM). Il suit aux Langues O des cours de wolof qui lui sont dispensés par le futur Président sénégalais Leopold Sedar Senghor. Aussi c'est tout naturellement qu'il choisit d'être affecté au Sénégal en 1947. Il est chef de subdivision à Djourbel avant de prendre la direction de Radio Dakar en 1948. Il épouse alors Adèle, la nièce de Leopold Sedar Senghor, dont il a deux enfants. Ce mariage constitue un défi aux bons usages de la société blanche d'Afrique » et lui vaut « des réactions teintées de racisme » de la part de ses collègues [13].

Poursuivant la carrière normale d'un administrateur colonial Jean Collin rentre en France en 1949 et repart au Cameroun où il sert sept années. En 1958, il revient au Sénégal. Il est d'abord chef de la subdivision de Rufisque, à quelques kilomètres de Dakar, puis, à 35 ans seulement, Gouverneur de la Région du Cap-vert.

Au moment des indépendances, Jean Collin fait un choix original. Il prend la nationalité sénégalaise et commence une impressionnante carrière dans l'administration du Sénégal. Il y occupe les plus hautes fonctions, franchissant très vite la frontière qui sépare l'administratif du politique. D'abord secrétaire général du Gouvernement puis secrétaire général de la Présidence de la République, il est ministre des finances de 1964 à 1971 puis ministre de l'intérieur de 1971 à 1981. Il est élu député aux élections de 1968, 1973 et 1978. Il est maire de Joal Fadiouth – la patrie du Président Senghor – de 1968 à 1972 puis de Thiès de 1973 à 1980.

Sous Abdou Diouf (qui, comme Jean Collin, est breveté de l'ENFOM et a fait une fulgurante carrière dans l'administration avant d'entrer en politique et de devenir Premier

---

11. A. Glaser & S. Smith, op. cité, p. 91.
12. Voir sur le sujet : Abdoul Baïla Wane, *Collin : l'Africain*, Les Éditions Républicaines, 1990.
13. Roland Colin, *Sénégal notre pirogue au soleil de la liberté. Journal de bord, 1955-1980*, Présence africaine, 2007.

ministre à 34 ans), Jean Collin est le numéro deux du régime. Pendant dix ans il est le tout-puissant secrétaire général de la Présidence « avec rang et appellation de Ministre d'État ». On l'appelle le « toubab de la négritude »[14].

Son influence lui vaut beaucoup de jalousie même si la couleur de sa peau et les liens qu'il était suspecté d'avoir maintenu avec la France – alors même qu'il a pris grand soin, dans ses relations avec son pays d'origine, d'adopter une posture de stricte impartialité – n'ont jamais été explicitement invoqués. Cédant à la pression, Abdou Diouf se sépare de son bras droit le 27 mars 1990.

Jean Collin décède le 18 octobre 1993. Conformément à ses dernières volontés il est inhumé près de Kaolack « chez [lui] au Sénégal ».

1.1.2 … et vraies ruptures

Rétrospectivement on peut estimer que la rupture la plus importante n'est pas intervenue là où on l'imagine. 1946 a plus compté que 1958.

Face à la poussée des revendications nationalistes en Indochine, en Algérie, à Madagascar, face au rôle déterminant de l'Empire et de ses ressortissants dans l'épopée de la France libre, face à la pression internationale des Américains et des Soviétiques qui défendaient, les uns comme les autres, le droit des peuples à disposer d'eux-mêmes, le *statu quo* colonial n'était plus possible au lendemain de la Seconde guerre mondiale.

Si le général de Gaulle rejette l'idée d'indépendance lors de la Conférence de Brazzaville (janvier 1944), il promet aux peuples colonisés de les « élever peu à peu jusqu'au niveau où ils seront capables de participer chez eux à la gestion de leurs propres affaires ». Ces promesses sont tenues par la IVe République qui remplace l'Empire par l'Union française, débaptise le ministère des colonies qui devient le ministère de la France d'outre-mer, supprime l'indigénat[15], abolit le travail forcé,

---

14. Jean de la Guérivière, « Jean Collin : le toubab de la négritude », *Le Monde*, 7 avril 1988.
15. L'indigénat est le régime juridique appliqué aux indigènes des colonies. Mis en place dès la conquête de l'Algérie en 1830, il est démantelé en trois temps. L'ordonnance du 7 mars 1944 supprime le statut pénal de l'indigénat. La loi Lamine Guèye du 7 avril 1946 reconnaît la nationalité française pleine et entière à tous les Français, indigènes inclus. Enfin, le statut du 20 septembre 1947 impose les principes d'égalité politique et d'accès égal aux emplois de la fonction publique.

octroie la citoyenneté à tous les ressortissants des territoires d'outre-mer et y institue des Assemblées locales.

Réforme importante : la création du Fonds d'investissement et de développement économique et social (Fides) dont la dotation généreuse (32,5 milliards de francs-or de 1945 à 1962) violait la règle, posée en 1900, selon laquelle les colonies devaient couvrir par leurs propres ressources toutes leurs dépenses[16]. L'heure n'était plus à « l'exploitation » par la France de ses colonies mais bien à leur « mise en valeur » dans une perspective altruiste et désintéressée qui allait donner naissance au discours, voué à une belle postérité, de l'aide au développement[17].

En juin 1956, la loi-cadre Defferre, à la rédaction de laquelle Félix Houphouët-Boigny a pris une part importante, crée dans les territoires d'outre-mer des Conseils de gouvernement élus au suffrage universel et instaure le collège unique alors que jusque là les habitants étaient répartis en deux collèges selon leur statut civil (de droit commun ou de droit local)[18].

Sans doute faut-il encore une douzaine d'années avant que les colonies n'accèdent à l'indépendance. Mais l'époque n'est plus au colonialisme triomphant des années 1930. Au temps de « l'État colonial finissant », pour reprendre la jolie formule de John Darwin[19], le sentiment se généralise, en France comme en Afrique, que les indépendances sont inéluctables.

---

16. Le directeur du Trésor, François Bloch-Lainé, écrit en 1953 dans *La zone Franc* : « Le système du "pacte colonial", si critiqué depuis la guerre, s'est presque renversé au bénéfice des pays d'outre-mer. Désormais ceux-ci importent beaucoup plus en provenance de la métropole qu'ils n'exportent vers elle. La différence entre leurs importations et leurs exportations est compensée par des transferts de capitaux, pour la plupart publics, qui sont effectuées dans le sens métropole-outre-mer. Ces transferts sont principalement destinés à contribuer aux dépenses d'investissement des territoires. Tout se passe comme si la métropole fournissait les francs métropolitains qui permettent à ses correspondants d'avoir une balance profondément déséquilibrée ; ainsi s'opère, aux frais de la métropole, le développement économique de tous les pays d'outre-mer sans exception. ».

17. Julien Meimon, *L'invention de l'aide française au développement*, CERI, Questions de recherche, n° 21, septembre 2007.

18. Jean-Philippe Thiellay, *Droit des outre-mers*, 2007, p. 17.

19. John Darwin, 'What was the Late Colonial State ?' *Itinerario*, vol. XXIII (1999), Netherlands Institute for Advanced Studies (NIAS), Leiden, p. 73 sq.

1.2 « Françafrique » ou « État franco-africain » ?

Les indépendances n'ont pas modifié aussi radicalement qu'on aurait pu l'attendre les relations entre la France et ses anciennes colonies. Faute pour celles-ci d'accéder à une souveraineté pleine et entière, qui aurait supposé notamment qu'elles assurent leur défense et qu'elles battent leur propre monnaie, leurs relations avec l'ancienne puissance colonisatrice ne se sont jamais vraiment muées en relations interétatiques mais sont toujours restées des liens intra-étatiques.

Ce système politique et économique liant inextricablement la France à l'Afrique a été résumé d'un mot par Félix Houphouët-Boigny, qui en fut l'une des figures tutélaires : la Françafrique. Le terme n'avait, à l'origine rien de péjoratif. Au contraire. Mais il fut repris à son compte par François-Xavier Verschave, dans la seconde moitié des années 1990 pour dénoncer la part d'ombre de la politique africaine de la France (la « France à fric ») [20].

Pour décrire ce cadre institutionnel baroque, Jean-Pierre Dozon a proposé une formule moins polémique : « l'État franco-africain » [21]. Selon lui, l'avènement de la Ve République et l'indépendance des États africains ont eu comme conséquence de placer l'Afrique au cœur de l'appareil d'État français, voire de modifier la nature de l'État pour en faire un « État franco-africain ».

La thèse n'est pas sans fondement. La République gaullienne considère son influence sur l'Afrique, au même titre que la bombe atomique, comme un instrument irremplaçable de puissance. L'appui indéfectible d'une quinzaine d'États africains est censé asseoir la puissance de cette « Plus Grande France » que de Gaulle souhaiterait maintenir à équidistance des États-Unis et de l'Union soviétique. L'Afrique fournit à la France les matières premières dont elle est dépourvue (pétrole, uranium…). Même si le « privilège du pavillon » qui interdisait aux colonies de commercer avec un État tiers avait été officiellement aboli depuis plus d'un siècle, l'Afrique noire constitue encore un marché captif pour les exportateurs français qui y réalisent 44 % de leurs ventes en 1952 [22]. Et la « liaison » de l'aide publique française

---

20. François-Xavier Verschave, *La Françafrique. Le plus long scandale de la République*, Stock, 1998.
21. Jean-Pierre Dozon, « L'État franco-africain » in *Les Temps modernes*, n° 620-621, août-novembre 2002, p. 261 sq.
22. Marc Ferro, *Histoire des colonisations. Des conquêtes aux indépendances (XIIIe-XXe siècle)* [1994], Coll. « Points Histoire », Le Seuil, 2006, p. 447.

au développement[23] a garanti encore longtemps un quasi-monopole des entreprises françaises dans la réalisation des grands projets d'infrastructure en Afrique noire[24]. Dernier élément à prendre en compte : la mise en œuvre de la politique de coopération avec l'Afrique a entraîné l'expatriation, à un titre ou à un autre, d'un demi million de Français sur la période, à une époque où les voyages à l'étranger et, plus encore, les séjours de longue durée, n'étaient pas fréquents si bien qu'un nombre significatif de Français ont eu une expérience personnelle qu'ils ont partagée avec leurs familles, leurs amis restés en métropole.

L'Afrique en 1960 a, pour la France, une importance que la construction européenne nous a fait aujourd'hui perdre de vue. Pour autant n'est-il pas exagéré de parler d'État franco-africain et de faire de Jacques Foccart « une sorte de vice-président non déclaré de la Ve République des années 1960-1970, responsable d'un secteur à ce point essentiel qu'il l'autorisait à peser fortement sur le mouvement gaulliste comme sur la politique gouvernementale » ?[25]

Cette thèse a le défaut de surévaluer la part des affaires africaines dans la marche de la Ve République. On conviendra que cette part fut importante. De là à en faire l'un des piliers de l'État, il y a un pas qu'il est peut-être audacieux de franchir.

Autre objection plus fondamentale : parler d'État franco-africain, c'est laisser non seulement entendre que la France influence l'Afrique – ce que personne ne nie – mais aussi que l'Afrique influence la France. Or, sans entrer ici dans le débat très riche ouvert par les chercheurs de l'Achac (Association pour la connaissance de l'histoire de l'Afrique contemporaine) qui ont montré l'influence des colonies sur la métropole pendant et même après la décolonisation[26], on se bornera à remarquer que l'Afrique

---

23. L'aide est « liée » lorsqu'elle permet de financer l'acquisition de biens et de services exclusivement auprès de fournisseurs appartenant au pays qui a apporté les fonds d'aide. Elle est « déliée » lorsqu'elle peut être utilisée pour acheter ces biens et services auprès de n'importe quel pays partenaire.

24. Jusqu'en 2000, sur 100 francs donnés à un pays africain, 61 reviennent dans l'Hexagone sous forme de commandes (A. Glaser & S. Smith, op. cité, p. 54).

25. Jean-Pierre Dozon, « Une décolonisation en trompe-l'œil » in Pascal Blanchard, Nicolas Bancel et Sandrine Lemaire (dir.), *Culture coloniale en France. De la Révolution française à nos jours*, CNRS/Autrement, 2008, p. 540.

26. Pascal Blanchard, Nicolas Bancel et Sandrine Lemaire ont publié en 2003 l'ouvrage fondateur *La fracture coloniale* (La Découverte) qui traque dans la société française contemporaine les traces de la colonisation. Ils ont poursuivi leurs recherches par trois ouvrages collectifs publiés en un seul volume début 2008 sous le titre *Culture coloniale* (CNRS/Autrement) (Cf. *infra* chap. 4).

et les Africains n'ont guère eu d'influence sur le fonctionnement de l'*État* français. Certes, l'Afrique a participé, plus souvent qu'à son tour, au financement occulte des partis politiques français. Mais on peinerait à trouver parmi les grandes questions qui ont agité la Ve République (l'industrialisation pompidolienne, la Nouvelle société de Chaban-Delmas, la construction européenne, la réforme de l'État, la politique de la Ville et même les questions d'immigration d'intégration et de luttes contre les discriminations) la marque des dirigeants africains.

Sans prolonger trop longtemps ce débat lexical peut-être futile, on peut néanmoins reconnaître, au-delà de la querelle des mots, l'existence d'un « complexe » franco-africain. Comme la « Françafrique » et « l'État franco-africain », l'expression essaie de rendre compte de l'imbrication des deux univers français et africains – à cette réserve près que cette imbrication est asymétrique [27]. À l'instar du complexe militaro-industriel dénoncé par Eisenhower en 1961, l'expression évoque la paranoïa que la relation franco-africaine charrie. Le « complexe » franco-africain est un système tentaculaire, ni tout à fait français, ni tout à fait africain, dont le centre de commandement se situe à Paris, à la « cellule africaine » de l'Elysée, et dont les pseudopodes s'étendent en Afrique, dans les États nouvellement indépendants, mais aussi dans la société post-coloniale.

1.2.1 *Le centre de commandement à Paris*

À Paris, les lieux de conception de la politique africaine de la France sont en théorie multiples.

Le Quai d'Orsay ne s'y est jamais vraiment autant intéressé qu'il l'aurait dû. En 1961, Michel Debré s'adresse en ces termes au général de Gaulle :

> « *Le vrai problème (…) vient de ce que pour le ministère des Affaires étrangères les affaires politiques africaines ne sont en aucune façon – et ne seront jamais – au premier plan de ses préoccupations. Les questions atlantiques, les questions européennes, les rapports avec les organisations internationales : voilà tout naturellement les préoccupations du ministère des affaires étrangères. L'Afrique viendra après – et elle viendra toujours après* » [28].

---

27. « La France sans le Gabon, c'est comme une voiture sans essence ; le Gabon sans la France, c'est comme une voiture sans chauffeur ». Cette boutade que l'on doit, dit-on, à Omar Bongo n'est sans doute pas tout à fait exacte : à supposer que le Gabon ne puisse se passer du chauffeur français, la voiture française peut, elle, fort bien rouler sans l'essence gabonaise.
28. Cité par Julien Meimon, En *quête de légitimité. Le ministère de la Coopération (1959-1999)*, op. cité, p. 81.

Les « postes à moustiques » n'attirent guère les diplomates de carrière qui préfèrent Washington, Londres ou Rome à Abidjan, Dakar ou Ndjamena. À la sortie de l'ENA, les élèves les mieux classés optent pour la Direction des Nations unies ou la Direction d'Europe, de préférence à la Direction des Affaires africaines et malgaches perçue comme une voie de garage [29]. Une autre raison structurelle du désintérêt du Quai d'Orsay pour l'Afrique tient aux modalités d'organisation du concours d'Orient qui constitue, avec l'ENA, l'autre porte d'entrée de la carrière diplomatique. Ce concours est ouvert aux candidats qui maîtrisent une langue orientale (arabe, chinois, russe, etc.). Mais la seule langue africaine au concours est le swahili (le peul, l'amharique et le malgache sont seulement des langues facultatives qui peuvent être choisies pour un oral d'admissibilité doté d'un faible coefficient). Du coup, le concours d'Orient ne recrute que des spécialistes de l'Afrique orientale – qui font d'ailleurs des carrières brillantes (l'un est actuellement ambassadeur en Tanzanie, un autre en Ethiopie, un troisième à Djibouti). Si bien que les affaires africaines ne sont souvent guère suivies, à Paris ou dans les ambassades françaises d'Afrique, que par des anciens de l'ENFOM intégrés sur le tard.

La politique africaine aurait pu échoir au ministère de la coopération, qui succède au ministère de la France d'outre-mer en 1960/61 et s'installe rue Monsieur. Mais comme l'a démontré Julien Meimon dans sa thèse sur le ministère de la coopération pertinemment intitulée « En quête de légitimité » et contrairement à la nostalgie de certains « anciens de la Coop » qui évoquent un âge d'or où ce ministère aurait régné en maître sur la relation franco-africaine, toute l'histoire de la rue Monsieur est celle d'une lutte perdue d'avance contre deux ennemis trop puissants.

Le premier est le ministère de l'économie et des finances. La « rue de Rivoli » a récupéré en 1959 du ministère de la France d'Outre-mer le service des Affaires économiques d'outre-mer qui supervise l'organisation des marchés tropicaux. Les services de l'expansion économique, tant à Paris qu'en Afrique même via les postes d'expansion économique (PEE), sont les interlocuteurs privilégiés des exportateurs français. La Coface (Compagnie française d'assurance pour le commerce extérieur), qui couvre le « risque pays » des entreprises, est placée sous la tutelle de la rue de Rivoli. C'est là également que se décide, avec la Banque de

---

29. Au 1er août 2009, douze seulement des quarante ambassades françaises en Afrique subsaharienne sont dirigées par des énarques.

France, la politique monétaire de la zone franc. Mais le bras armé du ministère de l'Économie et des Finances en Afrique est la Caisse centrale de coopération économique (CCCE), théoriquement placée sous la double tutelle de la rue Monsieur et de la rue de Rivoli, mais dans les faits organiquement liée à la seconde. La part des prêts octroyés par la CCCE à l'Afrique ne cesse de croître au point de devenir majoritaire au milieu des années 1970.

Le second est plus puissant encore : c'est l'Elysée et sa mythique « cellule africaine ». C'est avant tout un homme : Jacques Foccart.

La « cellule africaine » n'a pas d'existence juridique. C'est le nom que l'histoire a donné au Secrétariat général de la Communauté, créé en février 1959 à l'Elysée pour animer les institutions mises en place par le titre XII de la Constitution de la Ve République. La Communauté allait disparaître avec les indépendances, mais le « Secrétariat général à la présidence de la Communauté et aux affaires africaines et malgaches » constitua jusqu'en 1974 une puissante citadelle, forte d'une centaine d'agents. À sa tête depuis mars 1960, Jacques Foccart dirigea, aux côtés du général de Gaulle, de Pompidou et de Chirac, la politique africaine de la France. Son parcours atypique – il n'est pas fonctionnaire et n'avait jamais mis les pieds en Afrique avant que de Gaulle ne lui confie le dossier – son effacement, ses liens avec les réseaux de la Résistance puis les services secrets de la République ont nourri à son sujet bien des mythes.

Jacques Foccart, « l'homme de l'ombre » [29]

Né en 1913, Jacques Foccart est issu d'une famille de propriétaires terriens installée en Guadeloupe. Il dirige une entreprise d'import-export avec les Antilles. Il participe à la Seconde Guerre mondiale, à Londres, dans les services spéciaux, et dans l'Orne où il échappe de peu à la mort. Il est proche de Charles de Gaulle qui le désigne en 1952 pour siéger à l'Assemblée de l'Union française. En 1954, il devient secrétaire général du parti gaulliste, le RPF, alors dans l'opposition à la IVe République.

En mai 1958, il joue un rôle déterminant, en raison de ses liens avec les services d'espionnage, au retour au pouvoir du Général. Il accompagne de Gaulle à l'Elysée en qualité de conseiller technique. Il est chargé des questions africaines, des relations avec

---

30. Pierre Péan, *L'homme de l'ombre. Eléments d'enquête autour de Jacques Foccart, l'homme le plus mystérieux et le plus puissant de la Ve République*, Fayard, 1990.

les services secrets, de la carte électorale, des gaullistes. Il est à l'origine de la création du service d'ordre gaulliste, le SAC (Service d'action civique), en 1960. Il rencontre le Chef de l'État chaque jour. Il noue des relations personnelles avec les dirigeants africains avec lesquels il s'entretient quasi-quotidiennement au téléphone.

Il occupe les mêmes fonctions jusqu'au départ du général de Gaulle. Alain Poher l'évince durant l'intérim présidentiel. Mais Georges Pompidou, sitôt élu, le rappelle à l'Elysée. En 1986, Jacques Chirac, Premier ministre, lui confie le dossier africain.

En 1995, le nouvel hôte de l'Elysée fait de Foccart son « représentant personnel auprès des présidents africains ». Très malade, il ne quitte que rarement sa maison de Luzarches. Mais il maintient un lien téléphonique régulier avec les dirigeants africains et peut compter sur la présence de deux de ses disciples à l'Elysée, Michel Dupuch et Fernand Wibaux.

Jacques Foccart meurt le 19 mars 1997. Un hommage solennel lui est rendu aux Invalides.

On reproche à Jacques Foccart les « coups tordus », les « magouilles » de la Françafrique. Les diamants de Bokassa [31] ? Le Carrefour du Développement [32] ? Les « barbouzeries » de Bob Denard aux Comores [33] ? « Elf-africaine » [34] ? L'Angola-

---

31. En octobre 1979, le Canard enchaîné révèle que Valéry Giscard d'Estaing, alors ministre des finances, se serait vu offrir en 1973 par le président de Centrafrique, Jean-Bedel Bokassa, des diamants d'une valeur d'un million de francs à l'occasion d'un voyage privé dans une réserve de chasse au nord de la Centrafrique. Ces révélations s'avèreront pour partie fallacieuses, le document produit par le Canard se révélant un faux grossier et la valeur des diamants reçus très largement inférieure. Mais la défense maladroite et méprisante du président fit chuter sa popularité avant l'élection de 1981.

32. En 1986, la Cour des comptes révèle qu'une partie des fonds destinés à l'organisation du sommet franco-africain de Bujumbura de 1984 a été détournée par l'association Carrefour du Développement. Cette association avait été créée en 1983 par le ministre de la coopération Christian Nucci et sa gestion confiée à son chef de cabinet, Yves Chalier, qui, lorsque l'affaire fut révélée, prit la fuite dans des conditions rocambolesques au Mexique avec un vrai-faux passeport fourni par un policier proche de Charles Pasqua.

33. Le « corsaire de la République » Bob Denard a joué un rôle trouble dans la vie politique comorienne, prenant une part active dans les nombreux coups d'État qui ont émaillé l'histoire de cette ancienne colonie française de l'Océan indien. Il aurait assassiné le président Abdallah en novembre 1989. Bob Denard a toujours affirmé avoir agi en plein accord avec les autorités françaises.

34. L'affaire Elf est probablement le pire scandale de la Françafrique. L'instruction de Eva Joly a révélé un système opaque de versements de commissions destinées à rémunérer des personnalités africaines favorables à la politique du groupe pétrolier public. L'ancien PDG d'Elf, Loïk Le Floch-Prigent, André Tarallo et Alfred Sirven – arrêté aux Philippines où il s'était enfui – sont condamnés en 2003 à des peines de prison ferme.

gate [35] ? Il n'est aucun des scandales de la « France à fric » auquel le nom de Jacques Foccart n'ait été associé – alors même qu'ils avaient éclaté à une époque où il était éloigné du pouvoir.

Mérite-t-il autant d'opprobre ?

L'homme lui-même était de l'avis général le contraire d'un affairiste. Jamais sa probité n'a été mise en cause. D'une disponibilité absolue, d'une fidélité totale à de Gaulle et au gaullisme, il consacra sa vie à son travail sans jamais rechercher la reconnaissance ni les honneurs. Ses ambitions étaient nobles. Il voulait maintenir, par-delà les indépendances, une association, une communauté de destin entre sa France et ses colonies africaines. Imaginer « la Foque » dans son cabinet noir fourbissant d'inavouables complots serait une caricature sans fondement.

En revanche, le système qu'il a contribué à mettre en place portait en germe le dévoiement de ses missions. Grâce à Foccart, les dirigeants africains bénéficiaient d'un accès privilégié au Président français : « Foccart a été un trait d'union. Avec lui, on savait que notre message n'allait pas prendre la pirogue pour arriver chez de Gaulle » [36]. L'efficacité du « système Foccart » tenait aux liens qu'il entretenait avec les services secrets, aux relations qu'il avait avec les barrons du gaullisme, à la fidélité des hommes formés à son contact et placés à la tête du dispositif français en Afrique. Mais ce système opaque ne connaît aucun frein : les administrations de la rue Monsieur et du Quai d'Orsay sont instrumentalisées, le Parlement est ignoré, la Justice ne se mêle pas encore des affaires franco-africaines, la presse reste longtemps silencieuse …

Cette absence de contrepoids permet de mieux comprendre la facilité avec laquelle le complexe franco-africain a pu connaître tant de dérives jusqu'à devenir l'« Atlantide du crime » [37] que décrivent Antoine Glaser et Stephen Smith. C'est

---

35. En 2000, la justice révèle une vente d'armes d'ex-URSS à l'Angola dans laquelle des personnalités françaises ont touché des commissions. Jean-Christophe Mitterrand – qui dirigea un temps la « cellule africaine » de l'Elysée où il acquit le sobriquet de « Papa-m'a-dit » – Jacques Attali, Paul-Loup Sulitzer sont mis en cause. Charles Pasqua est accusé d'avoir perçu des fonds provenant de ces ventes d'armes et son bras droit, Jean-Charles Marchiani, est condamné à la prison ferme.

36. Propos du Président gabonais Omar Bongo rapportés par A. Glaser & S. Smith, op. cité, p. 59.

37. Idem, p. 155 sq.

que, écrivent-ils avec un brin d'emphase, mais un indéniable sens de la formule, « une avidité cupide se tapit au fond des rapports avec l'Afrique, au creux d'une petitesse humaine en quête de butins ... »[38].

1.2.2 Les pseudopodes en Afrique

En Afrique, le « complexe » franco-africain étend ses ramifications à travers les hommes et, plus pernicieusement, les mentalités.

Les présidents africains s'installent dans la résidence de l'ex-gouverneur. Ils ont souvent été formés en France (Senghor fut étudiant à Louis-le-Grand et agrégé des universités, Abdou Diouf, son successeur est breveté de l'ENFOM, Philippe Tsiranana, le premier président malgache, a suivi les cours de l'École normale de Montpellier, le président togolais Gnassingbe Eyadema a été sergent dans l'armée française et a combattu en Algérie, comme le centrafricain Jean-Bedel Bokassa, le nigérien Seyni Kountché[39], le voltaïque Sangoulé Lamizana[40] ou le guinéen Lansana Konté). Ils conservent avec la métropole des liens étroits : il y ont souvent une résidence, ils s'y rendent fréquemment, s'y font soigner, y scolarisent leurs enfants.

Les présidents africains, on l'a dit, sont entourés de conseillers français et se félicitent de cette « assistance technique » travailleuse, impartiale, grâce à laquelle ils disposent d'un canal supplémentaire de communication avec Paris.

Face à eux, à l'ambassade de France ou à la mission d'assistance et de coopération (MAC), on trouve un personnel qui n'a guère varié depuis la colonisation et qui constitue un pivot essentiel de la politique africaine de la France. C'est par ces fonctionnaires français postés sur le terrain que l'Afrique reçoit l'argent de l'aide publique au développement ; c'est par eux que remonte vers Paris, déformée par le

---

38. Idem p. 157.

39. Vétéran des guerres d'Indochine et d'Algérie, Seyni Kountché renverse en 1974 Hamani Diori le père de l'indépendance nigérienne. Il dirige pendant quatorze ans un régime autoritaire et décède d'une tumeur au cerveau, en 1987, à l'hôpital militaire du Val-de-Grâce.

40. Sangoulé Lamizana renverse en 1966 Maurice Yaméogo. Il est lui-même renversé en 1980 par un putsch militaire.

prisme de la « fatigue coloniale » ou au contraire du « syndrome de Stockholm », leur perception des réalités africaines.

Mais le « complexe » franco-africain ne se limite pas aux seuls agents publics.

Une société blanche (néo) coloniale s'organise à Abidjan, à Dakar, à Libreville. Sa stabilité étonnante constitue la preuve la plus éclatante du faible impact des indépendances sur le « complexe » franco-africain. À côté de l'ambassadeur – qui a remplacé le gouverneur – et du chef de la MAC (Mission d'aide et de coopération) – qui entretient avec celui-ci des relations ombrageuses car le pouvoir est chez l'ambassadeur mais l'argent à la « mission » ce qui ne peut manquer de provoquer des conflits d'autorité dont les Africains savent fort bien tirer parti – les autres figures importantes de ce petit microcosme sont le chef de la Caisse, le chef d'escale (d'UTA puis d'Air France), le banquier et, selon les pays, le pétrolier, le forestier, le négociant. Seul le prêtre missionnaire perd sur la fin un peu d'influence, car les contingents d'enseignants venus dans le cadre de l'assistance technique [41] ne fréquentent plus guère l'église.

Du colon à l'expatrié

La colonie c'est la province en pire (…)

Bien que la critique de l'ambassadeur soit un des exercices favoris de la colonie française, celle-ci lui demande (surtout si le malheureux est en prise directe avec « la présidence » du pays concerné) ce que personne n'exigerait d'un préfet en France pour régler les problèmes les plus variés. Tout expatrié ayant quelques années d'ancienneté considère comme un dû le bristol d'invitation à la célébration du 14 juillet (…)

L'Afrique continue d'attirer pêle-mêle authentiques entrepreneurs, aventuriers prêts à tout, ronds-de-cuir saisis par l'ambition, pères de familles aux fins de mois difficiles, recalés au baccalauréat, militaires prématurément à la retraite, fils de familles ruinés, soupirants éconduits (…). Il y a des situations très contrastées (…) Entre le riche forestier et le petit commerçant déjà concurrencé par les Libano-Syriens, entre le prospère « pistachier » bordelais et l'employé des grandes sociétés de négoce, la colonie n'efface pas toutes les barrières (…) Mais par-delà les disparités de situation, un trait commun semble unir les uns et les autres : le goût de « l'absolue liberté » partagé, à un plus modeste niveau, avec Céline. Quelque pénibles que soient la solitude du poste de

---

41. En 1980, les 7 902 enseignants affectés en Afrique représentent 77 % des effectifs d'une assistance technique à son zénith (Ministère de la coopération, op. cité, p. 107).

brousse ou, au contraire, la cohabitation forcée des villes comptoirs, cette liberté règne sans limite dans la vie professionnelle. Cela, à ce point, seule l'Afrique noire peut l'offrir. Le Maghreb et l'Indochine ont leurs propres attraits, préférés par d'aucuns mais ils comportent des structures sociales et des traditions avec lesquelles il faut composer. Seule l'Afrique, comme sa forêt, semble vierge pour les entreprises de l'homme blanc. (…)

Pas très fier de lui, Michel Leiris racontera plus tard comment lui, l'intellectuel de gauche, il en vint à frapper un porteur qui se tournait les pouces pendant le passage délicat d'une rivière en crue : (…) « À voir combien je suis moi-même impatient avec les Noirs qui m'agacent, je mesure à quel degré de bestialité doivent pouvoir atteindre, dans les rapports avec l'indigène, ceux qui sont épuisés par le climat et que ne retient aucune idéologie… Et qu'est ce que cela doit être chez les fervents du Berger ou du whisky ! »

Jean de la Guérivière, *Les fous d'Afrique. Histoire d'une passion française*, Seuil, 2001, pp. 134-139 [41].

La plupart des épouses travaillaient – d'ordinaire comme dactylos, caissières ou vendeuses – et leurs gains, plutôt modestes cependant, suffisaient généralement à couvrir les dépenses courantes du ménage. La rémunération du mari (salaire, indemnité d'expatriation et gratifications de fin d'année, ou bien bénéfice net du magasin ou de l'atelier) pouvait être alors presque totalement économisée, hormis l'achat exceptionnel de quelques biens d'équipement non fournis par l'employeur, notamment d'une voiture quand on n'en avait pas une de fonction – ne fût-ce qu'une simple camionnette aux couleurs de la société dont on pouvait à la rigueur se contenter pour aller le dimanche à la chasse et même à la plage en famille.

La possession d'un boy-cuisinier et d'une blanchisseuse à mi-temps donnait cependant à ces braves gens, à la vie tout compte fait besogneuse, le sentiment d'avoir tout de même gravi quelques échelons dans la hiérarchie sociale. La maladresse, selon eux toujours avérée et incurable, de ce petit personnel engueulable et renvoyable à merci alimentait du reste l'essentiel des conversations de ces dames entre elles (« Ah, ma chère, si vous saviez ce m'a encore fait le mien aujourd'hui »). Même les maris, autour d'un verre, y allaient parfois de leurs petites histoires, toujours les mêmes, comme celle du boy surpris dans la cuisine alors qu'il avait gonflé ses joues à craquer de l'huile de la mayonnaise, qu'il faisait ensuite gicler très régulièrement de sa bouche en cul-de-poule, ou bien celle de cet autre qui, ayant mal interprété la consigne qu'on lui avait donnée, avait fait une entrée remarquée dans la salle à manger, un jour d'invitation, avec dans ses oreilles et dans ses trous de nez le persil dont il devait garnir la tête de veau…

---

42. Nous avons rendu compte de cet ouvrage dans *Politique étrangère* 1/2002, janvier-mars 2002, pp. 221-222.

On se recevait beaucoup et l'on mettait alors les petits plats dans les grands, avec inévitablement, du veau, du fromage et de la salade de France, importés par avion, et, au dessert, un « balouba » ou un « nègre-en-chemise » – le succès était toujours assuré. On commençait au pastis et on finissait au whisky-soda.

Partout, d'autre part, les clubs s'étaient multipliés, et, le soir, on se retrouvait volontiers chez les Bretons ou chez les Corses, aux *Trois B* (Basques-Béarn-Bigorre) ou à *La Boule amicale*, autour, pour pas cher, d'un couscous ou d'un plat du pays natal. Des bals annuels, en tenues folkloriques obligatoires, y rassemblaient beaucoup de monde et, jusqu'à très tard dans la nuit, on chantait en chœur *Ils ont des chapeaux ronds*. *Beu cieu de Pau* ou *l'Ajaccienne*.

Les célibataires, et bien des maris quand les femmes étaient parties en congés avant eux, couraient les boîtes de nuit et les bars à putes : au quartier Mozart, à Douala ; à Treichville, à Abidjan, où les *two-two*, originaires de la Gold Coast voisine, étaient tarifiées « two shillings la secousse » ; aux alentours du port de Dakar, ou, comme la salade des dîners en ville, les actrices passablement défraîchies du *Bodéga* et du *Pigalle* et les filles de *La Paillote*, de *L'imperator* ou de *La Vie en rose* étaient importées de France.

Pierre Biarnès, *Les Français en Afrique noire. De Richelieu à Mitterrand*, Armand Colin, 1987, pp. 320-322 [42].

2   LA CRISE DU « COMPLEXE »

Le complexe franco-africain est aujourd'hui en crise. Après avoir traversé les décolonisations et la Guerre froide, il se fissure à partir de 1994. Sans doute cette évolution aurait-elle pu intervenir dix ans plus tôt après l'arrivée de la gauche au pouvoir. Mais la réforme tant espérée de la politique africaine de la France n'a pas été réalisée, la continuité l'emportant, une fois encore, sur la rupture (2.1). Il faut attendre encore une dizaine d'années pour que, sous le poids de facteurs extérieurs (fin de la Guerre froide, asphyxie des économies africaines, renouvellement des générations), la relation franco-africaine se réforme contrainte et forcée (2.2).

43. Nous remercions Jean de la Guérivière et Pierre Biarnès de nous avoir aimablement autorisé à citer des extraits de leur livre.

2.1　Les espérances déçues de la gauche

La continuité de la politique africaine de la France, par delà l'alternance de 1981, ne laisse de surprendre.

Pourtant, dans ce domaine comme dans tant d'autres, le 10 mai annonçait une rupture radicale. La Commission Tiers-monde du Parti socialiste – dont l'intitulé est à lui seul un programme – avait annoncé la couleur : l'heure était venue de moraliser les relations franco-africaines, de donner la priorité à la défense des droits de l'Homme, de sortir la France de son pré carré, en un mot de mettre en œuvre une véritable politique de développement tiers-mondiste dont témoigne déjà le nouvel intitulé du ministre de la rue Monsieur : ministère de la coopération et du développement.

La personnalité du nouveau ministre est emblématique. Jean-Pierre Cot, agrégé de droit, plus jeune doyen d'université, benjamin de l'Assemblée nationale, est le fils d'un ministre du Front populaire. Outre sa jeunesse et son style vestimentaire volontiers décontracté, sa méconnaissance assumée des questions africaines fait de lui un ministre de la coopération atypique. Ce défaut est accentué par « l'amateurisme » des conseillers de son cabinet qui, pour avoir été nourris à la doctrine tiers-mondiste du PS, n'ont pour autant aucune expérience des cabinets ministériels.

Mais très vite la fougue idéaliste du jeune ministre et de ses collaborateurs[44] se heurte à la réalité. La politique africaine de la France ne se décide pas rue Monsieur mais bien à l'Elysée où François Mitterrand a tôt fait de reconstituer une « cellule africaine ». La responsabilité en est confiée à Guy Penne, un ami de longue date des Mitterrand. Bien qu'opposé aux méthodes de ses prédécesseurs (« quand j'étais dans l'opposition, j'étais contre mes fonctions » confiera-t-il en 1986 à Pierre Haski[45]), il renoue rapidement avec les pratiques du passé pour devenir le « Foccart de Mitterrand »[46]. Il reprend à son compte la pratique des réseaux qui privilégie les relations personnelles sur les procédures bureaucratiques. Franc-

---

44. Julien Meimon, « Se découvrir militant. Le Cabinet Cot à l'épreuve de la Coopération (1981-1983) », *Politix*, vol. 18, n° 70/2005, p. 113.

45. Pierre Haski, « Le Foccart de Mitterrand », *Libération*, 20 octobre 1986.

46. Claude Weill, « Guy Penne : le Foccart de Mitterrand », *Le Nouvel Observateur*, 1er août 1986.

maçon du Grand Orient, il utilise les liens maçonniques pour nouer et entretenir ses réseaux. Il est secondé à partir de février 1982 par Jean-Christophe Mitterrand, qui était jusqu'alors employé par l'AFP au Togo, et dont la présence accentue le caractère interpersonnel de la politique africaine de la France.

L'ambiguïté de la politique africaine de François Mitterrand est fort bien résumée par l'affrontement entre Jean-Pierre Cot et Guy Penne dont le second sort vainqueur avec la démission du premier en décembre 1982 : d'un côté l'espérance d'une évolution tiers-mondiste, de l'autre, l'attachement à la défense du pré carré. Cette rivalité n'est que le reflet de la relation contradictoire que François Mitterrand lui-même entretient avec l'Afrique. Comme l'ont brillamment démontré Jean-François Bayart [47] et Philippe Marchesin [48], François Mitterrand avait de l'Afrique et de sa relation avec la France une vision passéiste. Son passage à la tête du ministère de la France d'outre-mer en 1950-51 fut à ce titre déterminant. Il y mena, avec beaucoup d'habileté, une politique courageuse rompant avec le discours colonialiste qui avait alors cours. Il y noua des amitiés durables avec les leaders du RDA (Rassemblement démocratique africain), futurs Présidents de la République des États indépendants. Le « progressisme », dont il fit alors preuve et auquel il resta fidèle toute sa vie durant, était sans doute admirable pour l'époque mais quelque peu désuet trente ans plus tard. Accent mis sur le rôle déterminant de l'Afrique dans le rayonnement international de la France, maintien du pré carré à l'abri de l'intervention des deux Super-Grands, défense de la francophonie, personnalisation non dénuée de paternalisme [49] des relations avec les leaders africains : il est difficile de distinguer les fondamentaux de la politique africaine de François Mitterrand de ceux du général de Gaulle.

L'inclination passéiste de François Mitterrand est encouragée par ses interlocuteurs africains, unis dans un rejet unanime du ministère Cot. Ils s'inquiètent d'une banalisation de la relation franco-africaine, d'une dilution de ce lien soi-disant spécifique dans la catégorie trop vaste du Tiers-Monde. Houphouët-Boigny, Bongo, Mobutu, Ratsiraka, pour ne citer que ceux avec lesquels le Président Mitterrand a les relations les plus denses, usent de toute leur influence pour faire partager, par

---

47. Jean-François Bayart, *La politique africaine de François Mitterrand*, Karthala, 1984.
48. Philippe Marchesin, « Mitterrand l'Africain », *Politique africaine*, n° 58, juin 1995, p. 5.
49. Philippe Marchesin écrit non sans humour : « Ayant perdu avec Ch. de Gaulle un "papa", les Africains ont trouvé en Fr. Mitterrand un "tonton" » (op. cité, p. 5).

les canaux officiels et officieux, leur inquiétude. La situation se reproduisit en 1997, lorsque se noua le sort du ministère de la coopération, ou en 2007 lorsque Jean-Marie Bockel osa annoncer « le décès de la Françafrique » (Cf. *infra* p. 83).

La politique mitterrandienne démontre que, en ce qui concerne l'Afrique, le principal clivage ne passe pas entre la gauche et la droite mais entre les « anciens » et les modernes ».

2.2 La triple rupture de 1994

Si les gouvernements passent sans que la politique africaine de la France ne bouge [50], les réalités changeantes d'un monde en pleine évolution finissent par la rattraper.

2.2.1 *Trois évolutions de fond*

La première évolution, la plus importante, est la fin de la Guerre froide. A première vue, on pourrait s'interroger sur les répercussions de la chute du mur du Berlin et du démantèlement de l'OTAN, de la disparition de l'URSS sur le destin du continent africain. Elles sont pourtant fondamentales.

D'une part, l'éclatement du bloc soviétique et l'intégration annoncée des pays d'Europe de l'Est à l'Union européenne font planer la menace d'un déplacement des flux d'aide du Sud vers l'Est. Cet effet d'éviction n'a pas été aussi puissant qu'on l'avait redouté : l'Afrique subsaharienne qui représentait 52 % de l'aide publique au développement (APD) française en 1989 en représentait encore 43 % en 2000 [51]. Mais, l'émergence soudaine d'un nouveau bénéficiaire de l'aide publique a révélé la précarité des États africains qui ont soudainement réalisé que le « marché » de l'aide était concurrentiel.

---

50. Il est révélateur que la première cohabitation (1986-1988) qui fut, on le sait, terriblement conflictuelle sur bien des sujets, se déroula sans anicroche dans ce domaine-là.

51. Base de données Internet du Comité d'aide au développement de l'OCDE (http://stats.oecd.org). Le rapport du Conseil d'analyse économique *La France et l'aide publique au développement* (La documentation française, 2006) montre que cette évolution est moins liée à l'aide à la reconstruction des PECO/NEI qu'à une généreuse politique d'allègements de dette au Maghreb et au Moyen-Orient (dont la part passe de 8 à 19 % de l'APD française sur cette période).

D'autre part, la fin de la Guerre froide a entraîné la disparition de la dimension géopolitique voire idéologique que le soutien aux pays africains avait pu revêtir depuis les indépendances. Pendant près de quarante ans, l'aide aux régimes amis n'était pas chichement mesurée afin d'éviter qu'ils ne tombent dans l'escarcelle de l'ennemi. Certains États africains, tels l'Ethiopie ou la Somalie, étaient passés maîtres dans ce jeu de balances entre l'Est et l'Ouest – lequel n'est pas sans ressemblance avec le culbuto diplomatique de nombreux États, notamment ouest africains, entre Pékin et Taipeh dans les années 1990. Rétrospectivement, on peut s'interroger sur l'impact réel de la menace communiste en Afrique (voir *infra* p. 164). Sans doute les États-Unis et l'URSS se sont-ils affrontés, par adversaires africains interposés, au Congo belge, en Angola ou dans l'Ogaden. Mais le pré carré français est resté relativement protégé de ces interférences. Et si, à des degrés et des moments divers, la Guinée, le Bénin ou le Congo ont cédé aux sirènes du marxisme–léninisme, ce ralliement idéologique de façade n'a guère eu d'incidence sur leur relation avec l'ancienne puissance colonisatrice.

Mis en concurrence avec les pays d'Europe de l'Est, orphelins d'une rente de situation géopolitique que la fin de la Guerre froide démonétise soudainement, les pays africains réalisent brutalement que le soutien de la France – et des autres donateurs occidentaux – ne va plus de soi mais doit se mériter. Jusqu'alors, le gaspillage de l'aide publique, le soutien indéfectible à des régimes peu respectueux des droits de l'Homme pouvaient se justifier au nom de la maîtrise de la contagion communiste, comme l'illustre le cas du Zaïre, caricatural à tous les égards. Mais après 1989, cette justification ne vaut plus.

Le discours, sinon la pratique, sur l'Afrique évolue. Premièrement, à l'heure où les dictatures pro-américaines du Chili, de Panama, de la Corée du Sud, des Philippines sont balayées par un vent de démocratie, le soutien aux régimes autoritaires africains perd toute justification. Paris doit faire sa « Paristroïka » [52]. C'est le sens du célèbre discours de François Mitterrand à La Baule du 21 juin 1990. L'aide de la France à l'égard de l'Afrique sera désormais « plus tiède en face de régimes qui se comporteraient de façon autoritaire, sans accepter l'évolution vers la démocratie » et « enthousiaste pour ceux qui franchiront ce pas avec courage ».

---

52. A. Glaser & S. Smith, op. cité, p. 107.

Deuxièmement, le temps du gaspillage de l'aide publique est révolu. Ce gaspillage se justifiait partiellement dès lors qu'il était la contrepartie d'une rente géopolitique versée à des pays amis. Mais avec la disparition de cette rente et avec la dangereuse spirale dans laquelle la fuite en avant menace de conduire certains États africains surendettés, le *statu quo* n'est plus concevable. C'est le sens de la « doctrine d'Abidjan » décrétée par la France en septembre 1993 qui subordonne son aide à la mise en œuvre des programmes d'ajustement structurel (PAS) négociés avec les institutions financières internationales.

La chute du mur de Berlin a une autre conséquence importante sur l'Afrique, a priori sans lien avec la relation franco-africaine. Le désengagement massif des Américains et des Soviétiques a permis au Mozambique de retrouver la paix, à la Namibie d'accéder à l'indépendance, à l'Afrique du Sud de sortir de l'apartheid. Mais, paradoxalement, les conflits, loin de s'éteindre, se sont multipliés de la Corne de l'Afrique à la région des Grands Lacs. Ces conflits prospèrent là où les États défaillent : en Somalie, au Liberia, en Sierra Leone, au Burundi... Il s'agit souvent de conflits intérieurs, de guerres civiles qui mettent aux prises des guérillas, des rébellions dont les buts de guerre dérivent parfois vers le banditisme.

Cette évolution est inquiétante ; car, par rapport à la période antérieure, ces conflits ne connaissent aucune régulation. La guerre froide donnait aux conflits africains un sens dont la chute du mur de Berlin les prive. Désormais, on assiste à « l'autonomisation des stratégies belliqueuses des États africains »[53]. La guerre devient une raison d'être pour les leaders africains qui y voient le seul moyen d'accéder au pouvoir et à ses privilèges ; elle apparaît comme une voie inespérée d'ascension sociale pour une jeunesse sans espoir qui trouve dans la possession d'une arme l'illusion de la puissance et la reconnaissance sociale qui y est attachée. Des « économies de guerre » se mettent en place qui reposent sur l'exploitation par des États kleptocrates ou des groupes armés séditieux – la frontière entre les uns et les autres étant de plus en plus difficile à tracer – des richesses naturelles nationales : le diamant de Sierra Leone ou d'Angola, le tungstène, le cobalt ou le coltan[54] du Kivu.

---

53. Valérie Pascalini, « L'évolution des conflits en Afrique », *La revue internationale et stratégique*, n° 33, printemps 1999, p. 136.

54. Le coltan (colombo-tantalite) est très recherché pour sa dureté et sa résistance à la chaleur et à la corrosion. Il entre dans la fabrication de pièces d'avions, de fusées et de téléphones portables ce qui explique la flambée de ses cours avec le développement de la téléphonie mobile.

Un troisième phénomène, plus franco-africain celui-là, mérite l'attention. Le début des années 1990 se caractérise, en Afrique comme en France, par un progressif renouvellement des générations. Côté africain, les « pères de l'indépendance », presque octogénaires, s'apprêtent à quitter la scène. Côté français, les derniers administrateurs coloniaux arrivent à l'âge de la retraite cédant la place à une nouvelle génération qui n'entretient pas avec l'Afrique la même relation, où l'affection se teinte de paternalisme, que celle de leurs aînés. Les « anciens » veulent maintenir des liens privilégiés entre la France et l'Afrique et dénoncent la moindre remise en cause du complexe franco-africain comme une trahison à l'héritage gaulliste et/ou un reniement de la solidarité tiers-mondiste. Les « modernes » entendent banaliser la relation franco-africaine ou, à tout le moins, la débarrasser de ses « mauvaises habitudes »[55].

Ces trois évolutions profondes ont convergé pour remettre profondément en cause le « complexe » franco-africain.

2.2.2 Trois événements symboliques

Hasard du calendrier ou coïncidence symbolique, les premiers mois de l'année 1994 voient se télescoper trois événements importants qui précipitent les trois évolutions qui viennent d'être décrites.

Les funérailles de Félix Houphouët-Boigny à Yamoussoukro le 7 février constituent sans doute l'événement le plus symbolique. Toute la « Françafrique » est rassemblée pour accompagner le Président ivoirien : François Mitterrand, pourtant au plus mal, Valery Giscard d'Estaing, tous les Chefs d'États de l'Afrique francophone, tous les Premiers ministres encore vivants de la Ve République, depuis Pierre Messmer jusqu'à Edouard Balladur, Jacques Foccart en fauteuil roulant, personne ne manque à l'appel. Une messe commémorative a lieu dans la basilique Notre-Dame de la Paix, construite en pleine savane, dans la nouvelle capitale ivoirienne, sur la frontière qui sépare le nord islamisé du sud encore chrétien. Cet imposant édifice incarne jusqu'à la caricature les « éléphants blancs » de l'aide publique, inutiles et coûteux, les dérives de « l'État néo-patrimonial »[56] où la

---

55. Daniel Bourmaud, « La politique africaine de Jacques Chirac : les anciens contre les modernes », *Modern and contemporary France*, special issue « France and Black Africa », n° 4, 1996, pp. 431-442.
56. Jean-François Médard, « L'État néo-patrimonial en Afrique noire », in *États d'Afrique noire. Formation, mécanismes et crise*, Paris, Karthala, 1991, p. 323.

cassette personnelle du Président se distingue difficilement du budget de l'État. C'est le père de la Françafrique que l'on enterre mais c'est aussi la Françafrique elle-même qui se réunit une dernière fois pour une ultime cérémonie d'adieu.

Un mois plus tôt, un événement peut-être moins symbolique mais autrement plus significatif a ébranlé les fondations de la Françafrique. Le 11 janvier est décidée à Dakar **la dévaluation du franc CFA**. La parité du franc CFA, immuable depuis 1948, n'est plus tenable. La politique du franc fort menée depuis le « tournant de la rigueur » de 1983 combinée à la dépréciation du dollar à partir de 1985 asphyxient les économies ouest-africaines exportatrices de matières premiè-res. Depuis plusieurs années, tous les experts s'accordent à reconnaître la nécessité d'une dévaluation radicale. Mais les Chefs d'État africains sont vent debout contre une réforme qu'ils assimilent à un « lâchage » de la France.

La décision tarde à être prise, tandis que la fuite des francs CFA, qui restent convertibles jusqu'en août 1993, la rend de plus en plus inéluctable. C'est l'insis-tance des institutions financières internationales qui a raison des dernières réticen-ces de François Mitterrand. Elles estiment que le maintien d'une parité forte n'est pas compatible avec l'exécution des programmes d'ajustement structurel et condi-tionnent la reprise de leur aide à la dévaluation du franc CFA. La France, qui est en récession économique en 1993 et peine à contenir son déficit budgétaire, n'a d'autre choix que d'imposer aux Africains la potion amère de la dévaluation.

Rétrospectivement, le bilan de la dévaluation de 1994 est plutôt bon. Elle a entraîné la relance des exportations. Grâce aux mesures d'accompagnement qui ont été prises, elle n'a pas eu d'effet inflationniste. Elle a permis la reprise de l'aide des institutions financières internationales et a enrayé les dérives budgétaires des États de la zone.

Pour autant, la dévaluation de janvier 1994 marque une rupture encore vivace dans le lien franco-africain. La parité fixe du franc CFA depuis près de cinquante ans symbolisait dans les esprits la communauté de destin franco-africaine et l'imbrication des économies. Dévaluer le franc CFA, c'est traiter la monnaie afri-caine comme n'importe quelle autre, comme une monnaie dont la valeur peut varier en fonction des aléas économiques.

Enfin, trois mois plus tard, éclate **le génocide rwandais**. Le Rwanda n'a jamais été une colonie française. Occupé par la Belgique, le « pays des mille collines » a été intégré dans la zone d'influence française dans les années 1970, avec le Zaïre et le Burundi. Un accord de coopération technique est signé en 1975 aux termes duquel la France fournit au président hutu Habyarimana une assistance militaire. C'est dans le cadre de cet accord que la France soutient le régime rwandais dans sa lutte contre la rébellion tutsie exilée en Ouganda où elle s'est organisée dans le Front patriotique rwandais (FPR). Paris n'en encourage pas moins les Hutus et les Tutsis à partager le pouvoir et met tout son poids dans la négociation des accords d'Arusha signés en août 1993. Elle croit pouvoir retirer son assistance militaire en décembre 1993 et laisser aux casques bleus de la MINUAR le soin de superviser la mise en œuvre des accords de paix. Mais les Hutus ne sont pas prêts à partager le pouvoir et les Tutsis attendent l'arme au pied le moment opportun pour lancer l'assaut. Quand l'avion du président Habyarimana est abattu le 6 avril 1994, les plans d'extermination systématique des Tutsis sont immédiatement mis en œuvre. Excités par les appels à la haine que diffuse la radio des Mille collines, encadrés par les forces armées rwandaises (FAR), les milices Interahamwe et Impuzamugambi massacrent les Tutsis ainsi que les Hutus modérés. Objet d'estimations chiffrées contradictoires, le génocide rwandais aurait fait au moins 800 000 victimes en moins de trois mois [57].

La France est mise en cause à plusieurs niveaux. D'abord, on l'accuse d'avoir armé le pouvoir de Kigali, d'avoir formé les militaires hutus qui sont à l'origine du génocide et surtout d'avoir fermé les yeux sur sa planification. Ensuite on lui reproche, à elle et aux autres membres du Conseil de sécurité, sa passivité durant le génocide, alors même que les appels de détresse lancés par le général Dallaire, commandant la MINUAR, les avaient alertés. Enfin, on la montre du doigt pour l'opération Turquoise, mise en place le 21 juin 1994, dont l'objectif était la création d'une zone humanitaire sûre (ZHS) au sud-ouest du Rwanda, mais qui permit, de fait, à de nombreux génocidaires hutus d'échapper à leurs poursuivants et de trouver refuge au Zaïre.

---

57. Le génocide rwandais est très richement documenté. Les témoignages, les essais sont innombrables. On se bornera à mentionner la remarquable trilogie du journaliste français Jean Hatzfeld (*Dans le nu de la vie*, 2000 ; *Une saison de machettes*, 2003 ; *La stratégie des antilopes*, 2007) qui donne la parole aux victimes et aux bourreaux et a rencontré un succès public mérité. La filmographie du génocide rwandais est elle aussi abondante (*Hotel Rwanda*, 2004 ; *Shooting Dogs*, 2005 ; *Un dimanche à Kigali*, 2006). Mais on notera l'absence de film français sur ce sujet.

L'attitude de la France au Rwanda a fait l'objet de violentes polémiques. Des ouvrages à charge ont été publiés [58], notamment par le journaliste du Figaro Patrick de Saint-Exupéry [59] qui a reproché à l'armée française d'avoir tardé à porter secours à des Tutsis persécutés. Des ouvrages à décharge ont tenté de répondre à ces accusations [60]. Fait inhabituel sous la Ve République où l'Afrique est rarement débattue au Parlement : une commission d'enquête a été constituée à l'Assemblée nationale en 1998, sous la présidence de l'ancien ministre de la défense Paul Quilès. Ses conclusions sont prudentes. La France ne peut, selon elle, être accusée d'avoir joué une part active dans le génocide rwandais ; mais son aveuglement a été coupable. Ce qui peut être reproché à la France, c'est paradoxalement, de ne pas avoir suffisamment intégré le Rwanda à la Françafrique, de ne pas avoir tissé avec lui les mille liens qui lui garantissent, en Afrique francophone, une connaissance intime du pays et des hommes et avec laquelle la vraie nature du « Hutu power » ne l'aurait pas abusée [61].

Pour autant, le génocide rwandais constitue un point de rupture, le troisième, en ce début d'année 1994. L'opinion publique française oscille entre l'horreur et la honte : horreur face à un génocide d'une violence inouïe qui accrédite l'image d'un continent déchiré par des haines tribales inextinguibles et honte d'avoir laissé se perpétrer, ou, pire, d'avoir prêté la main à une telle hécatombe. L'institution militaire française est elle aussi traumatisée. Elle fait spontanément son examen de conscience et en tire la conclusion qu'elle devra éviter de se compromettre aux côtés de régimes peu scrupuleux. Elle exprime simultanément son amertume d'avoir été rendue responsable d'une posture décidée mais non assumée par les politiques. Côté africain, l'ambiguïté est aussi de mise. La honte affleure, de voir coïncider la fin pacifique de l'apartheid en Afrique du Sud avec le plus meurtrier déchaînement de « violences ethniques » qu'on puisse concevoir. Mais la rancœur

---

58. François-Xavier Verschave, *Complicité de génocide. La politique de la France au Rwanda*, La Découverte, 1994 ; Mehdi Ba, *Rwanda 1994. Un génocide français*, L'Esprit frappeur, 1997 ; Jean-Paul Gouteux, *Un génocide secret d'État. La France et le Rwanda 1990-1997*, Editions sociales, 1998 ; Michel Sitbon, *Un génocide sur la conscience*, L'Esprit frappeur, 1998.

59. Patrick de Saint-Exupéry, *L'inavouable. La France au Rwanda*, Les Arènes, 2004.

60. Pierre Péan, *Noires fureurs, blancs menteurs*, Fayard, 2005 ; Bernard Lugan, *François Mitterrand, l'armée française et le Rwanda*, Ed. du Rocher, 2005.

61. Stephen Smith, « France-Afrique : l'adieu aux "ex-néo colonies" », *Le Débat*, n° 137, nov.-déc. 2005, p. 76.

domine : la Guerre froide est finie, l'Afrique a perdu sa rente de situation géopolitique et, après la débandade américaine en Somalie, l'Occident n'osera plus s'aventurer « au cœur des ténèbres » abandonnant l'Afrique à ses démons.

◉ RÉSUMÉ

Depuis la colonisation, un « complexe » franco-africain s'est mis en place. Les indépendances n'ont guère eu de prises sur lui. Il s'agit d'un système ni tout à fait français ni tout à fait africain dont le centre de commandement se situe à Paris, à la « cellule africaine » de l'Elysée où pèse l'ombre tutélaire de Jacques Foccart, et les tentacules s'étendent en Afrique. Ce complexe qui a traversé sans coup faillir la décolonisation et la Guerre froide se fissure à partir de 1994.

La mort de Houphouët-Boigny, la dévaluation du franc CFA et le génocide rwandais sonnent le glas d'une certaine relation franco-africaine tandis que s'achève le mandat de François Mitterrand. L'espoir renaît avec l'élection de Jacques Chirac, qui connaît l'Afrique et proclame haut et fort l'amour qu'il lui porte. Mais, douze ans plus tard, le bilan de « Chirac l'Africain »[1] est mitigé : entre normalisation et maintien des liens privilégiés, la politique africaine de la France continue à naviguer à vue, sans pilote ni boussole (1). Dans ce domaine, comme dans d'autres, l'élection de Nicolas Sarkozy soulève beaucoup d'espoirs. S'il est encore trop tôt pour dresser des bilans, la continuité semble devoir l'emporter (2).

1 JACQUES CHIRAC : LES IMPASSES D'UNE POLITIQUE D'INDÉCISION

Le XXIVe sommet France-Afrique a été avancé de quelques mois pour permettre à Jacques Chirac de le présider une ultime fois, à Cannes, en février 2007. Devant les chefs d'États africains venus le remercier pour avoir été leur infatigable avocat, le président français tire le bilan de sa politique africaine. Il évoque le doublement de l'aide

---

1. Gérard Claude, « Chirac "l'Africain". Dix ans de politique africaine de la France, 1996-2006 », *Politique étrangère*, n° 4/2007, p. 905.

publique française au développement, la rénovation des dispositifs de coopération civile et militaire, l'ouverture à l'Afrique non francophone. Non sans paternalisme, non sans sincérité, le Président Chirac termine son « testament africain » en proclamant son « amour » de l'Afrique : « j'aime l'Afrique, ses territoires, ses peuples, ses cultures. Je mesure ses besoins, je comprends ses aspirations ».

Personne ne met en doute la sincérité de cet attachement. L'intérêt de Jacques Chirac pour les « arts premiers » est bien connu et son implication dans la création du musée du Quai-Branly dédié aux arts premiers, notamment africains, en a donné la preuve. « Amoureux » de l'Afrique, Jacques Chirac l'est aussi foncièrement de ses populations qui le lui rendent bien, à voir la liesse qui entoure chacune de ses visites officielles sur le continent. La longueur de sa carrière politique et la stabilité des élites africaines ont contribué à pérenniser ces relations personnelles durables et profondes avec les Chefs d'État africains : Omar Bongo, Gnassingbé Eyadéma, Abdou Diouf, Paul Biya, Denis Sassou Nguesso…

Mais les bons sentiments ne font pas toujours de bonnes politiques. Le bilan africain de Jacques Chirac n'est pas au diapason de son attachement pour ce continent. Le décalage entre le discours et les actes est patent. L'appel à la rénovation, à la modernisation est permanent. Il serait malhonnête de ne pas reconnaître que les dispositifs institutionnels (réforme de la coopération) et les doctrines (« multilatéralisation » de la gestion des crises) ont évolué. Mais, comme le constate *Politique africaine* dans un numéro spécial publié à l'occasion des élections présidentielles de 2007 :

> « *au terme des deux mandats de Jacques Chirac, subsiste cette impression que "tout a changé pour que rien ne change", que (…) malgré les réformes susmentionnées, la politique de la France en Afrique est restée bloquée dans l'indécision de choix non assumés, hésitant encore et toujours entre la normalisation des relations franco-africaines et la modernisation conservatrice, avec pour résultat une "non-politique", essentiellement réactive et définie en creux, au coup par coup, sans véritable projet ni fil directeur* »[2].

---

2.   « La fin du pacte colonial ? La politique africaine de la France sous J. Chirac et après », n° 105, mars 2007, pp. 11-12. Seize ans plus tôt, Jean-François Bayart, dans cette même revue intitulait déjà un article consacré à la politique africaine de la France : « France-Afrique : la fin du pacte colonial » (*Politique africaine*, n° 39, sept. 1990, pp. 47-53).

© Damien Glez pour *Politique africaine,* octobre 2007 [3]

---

3. Nous remercions Damien Glez et la rédaction de *Politique africaine* de nous avoir aimablement autorisé à reproduire cette caricature ainsi que celle p. 79.

1.1 Le ni-ni jospinien[4]

En 1997, la querelle des « anciens » et des modernes » (voir *supra* p. 43) semble se conclure au bénéfice des seconds. Cette victoire est symbolisée par trois événements qui, à trois années de distance, semblent constituer autant de « répliques » à la triple rupture de 1994.

Jacques Foccart, que le Président Chirac avait rappelé à ses côtés pour chapeauter la « cellule africaine » dont la direction était officiellement confiée à Michel Dupuch, décède en mars 1997. Des funérailles nationales sont organisées aux Invalides[5]. Le président de la République est là, ainsi que les barons du gaullisme (Olivier Guichard, Maurice Couve de Murville, Jacques Chaban-Delmas, Pierre Messmer, Claude Pompidou, Alain Peyrefitte, Charles Pasqua, Édouard Balladur, etc.). Mais l'absence remarquée des piliers de la Françafrique laissent augurer un changement d'ère : Omar Bongo, indigné de la mise sous séquestre d'un de ses comptes bancaires genevois dans le cadre de l'instruction de l'affaire Elf, n'a pas fait le voyage, le « dinosaure »[6] Mobutu se meurt, Eyadéma n'est pas là, Houphouët-Boigny est mort quatre ans plus tôt...

Au Zaïre justement, l'un des piliers de la Françafrique est en train de tomber. Le maréchal Mobutu incarnait jusqu'à la caricature les dérives d'un système que la chute du mur de Berlin condamnait. Porté au pouvoir par les Belges et par les Américains, qu'effrayait la rhétorique marxisante de Patrice Lumumba, Mobutu a dû son exceptionnelle longévité à la rente géopolitique dont son pays jouissait. Mais, lâché par les Américains, usé par un cancer incurable, décrédibilisé par la gabegie budgétaire de son régime, ce dictateur ubuesque était en sursis depuis quelques années. La France a eu le tort de le remettre en selle en 1994 croyant que le Zaïre, en accueillant les réfugiés hutus rwandais, mettrait un terme à la crise. Mais le remède s'est avéré pire que le mal : tirant prétexte de la présence au Zaïre de cette population qui lui était hostile, le régime rwandais de Paul Kagamé, soutenu par l'Ouganda, a armé la rébellion de Laurent-Désiré Kabila qui, en quelques semaines, a conquis tout le Zaïre et forcé, le 17 mai 1997, Mobutu à la fuite.

---

4.   *Politique africaine*, n° 105, mars 2007, p. 15.
5.   Stephen Smith & Antoine Glaser, *Ces messieurs Afrique 2. Des réseaux aux lobbies*, Calmann-Levy, 1997, p. 34.
6.   Colette Braeckman, *Le dinosaure. Le Zaïre de Mobutu*, Fayard, 1992.

L'événement le plus important de cette année est l'alternance en France. La dissolution décidée par Jacques Chirac provoque l'arrivée à Matignon de Lionel Jospin. Le nouveau Premier ministre connaît mal l'Afrique et s'y intéresse peu (il n'y fait d'ailleurs que de rares voyages durant son séjour à Matignon). Il n'a pas les relations personnelles et chaleureuses que le Président entretient avec ses homologues africains. Il n'a guère de sympathie pour les « Africains » du Parti socialiste – Guy Labertit, Henri Emmanuelli, Michel Charasse – et n'a pas hésité à critiquer ouvertement la politique africaine de François Mitterrand[7]. Cette ignorance revendiquée du dossier africain – qui coïncide avec la nomination, rue Monsieur, d'un ministre de la Coopération sans expérience africaine[8] – constitue paradoxalement un atout pour mettre en œuvre une politique décomplexée. Cette politique recycle le ni-ni mitterrandien (« ni privatisation, ni nationalisation »). Ni ingérence ni indifférence[9] : la France, échaudée par le génocide rwandais, ne souhaite plus se compromettre dans des interventions qui jettent le discrédit sur sa politique africaine (1.1.1) ; mais elle ne saurait pour autant se désintéresser du sort d'un continent avec lequel elle entretient une relation à nulle autre pareille (1.1.2).

---

7.   Dans sa contribution au congrès de Liévin de novembre 1994, Lionel Jospin a évoqué « les échecs de notre politique africaine » (cité par Philippe Marchesin, « Mitterrand l'Africain », *Politique africaine*, n° 58, juin 1995, p. 21).
8.   L'évolution de Charles Josselin, avant et après son passage rue Monsieur, est emblématique du « pouvoir d'attraction » des questions africaines. Militant de longue date au parti socialiste, Charles Josselin a fait toute sa carrière dans les Côtes d'Armor. Député depuis 1973, président du conseil général depuis 1976, il est secrétaire d'État aux transports sous Fabius et secrétaire d'État à la mer sous Bérégovoy – ce qui correspond bien aux centres d'intérêts de cet élu breton. En 1997, son expertise africaine se limite à la (modeste) coopération décentralisée que les Côtes d'Armor entretiennent avec le Mali. Mais, Charles Josselin, devenu cinq ans plus tard l'un des plus longs locataires de la rue Monsieur et, de l'avis général, l'un des meilleurs, continuera à suivre les questions africaines, au Sénat, où il siège entre 2006 et 2008, à la présidence du Haut conseil de la coopération internationale et surtout à la tête de Cités Unies France, association fédératrice des collectivités locales françaises engagées dans la coopération décentralisée.
9.   Lionel Jospin déclare, à Bamako, lors de son premier voyage en Afrique en décembre 1997 : « Il faut rompre avec la tradition paternaliste en Afrique, il faut établir des relations fraternelles et non paternelles, basées sur l'égalité sans ingérence ni indifférence ».

1.1.1 *La fin du « gendarme de l'Afrique »*

La Centrafrique, où la France possède deux bases militaires et où elle porte à bout de bras le régime de Ange-Félix Patassé menacé par des rébellions militaires à répétition, est emblématique des nouvelles orientations de la politique française. Encore premier secrétaire du Parti socialiste, Lionel Jospin avait dénoncé en janvier 1997 l'intervention des forces françaises contre les mutins : « Je mets en garde le gouvernement français contre le risque pour nos troupes et pour la France d'être entraînés dans un engrenage militaire ». Une fois installé à Matignon il confirme cette position en décidant d'une part en août 1997 la fermeture des bases militaires de Bangui et de Bouar (cf. *infra* p. 110) et en se défaussant sur une force onusienne, la Minurca (Mission des Nations unies en République centrafricaine), du soin de maintenir la sécurité à Bangui et de préparer les élections législatives prévues pour août/septembre 1998.

En arrivant à Matignon le 2 juin 1997, Lionel Jospin est vite confronté à un autre dossier brûlant : le Congo-Brazzaville. Le 5 juin y éclate une guerre civile qui met aux prises les milices pro-gouvernementales de Pascal Lissouba aux « cobras » de l'ancien président Denis Sassou Nguesso et aux « coyotes » du maire de Brazzaville Bernard Kolelas. Des troupes françaises sont présentes à Brazzaville dans le cadre de « l'opération Pélican » pour aider à l'expatriation des ressortissants nationaux du Zaïre voisin. Le président Lissouba est certain du soutien du Président Chirac dont il est devenu l'un des proches depuis son accession à la tête de l'État congolais. Mais il sous-estime deux facteurs : le premier est l'amitié, plus ancienne, qui lie également le président français à Denis Sassou Nguesso, le second est le nouveau cours de la politique africaine que Lionel Jospin entend mettre en œuvre. Ces deux facteurs se cumulent pour empêcher l'intervention des troupes françaises, encourager la médiation du Gabon – en fait nettement favorable à Sassou Nguesso auquel Bongo, par le jeu des mariages, est apparenté – et laisser faire les Angolais qui sonnent en octobre 1997 l'hallali du régime de Lissouba[10].

---

10. Dans la présentation qu'il fait de la guerre civile congolaise, Patrice Yengo dénonce l'hypocrisie de la politique menée par l'Elysée qui, sous couvert de neutralité, n'aurait cessé, avec la complicité active de Elf, d'intriguer en faveur de Denis Sassou Nguesso (« Affinités électives et délégations de compétences. La politique congolaise de Jacques Chirac », *Politique africaine*, n° 105, mars 2007, p. 105).

Troisième cas d'école : Madagascar. Des élections sont organisées en décembre 2001 qui mettent aux prises le président sortant, Didier Ratsiraka, au maire de Tananarive, Marc Ravalomanana. Le scrutin est serré. Les partisans de Ravalomanana soutiennent que leur candidat a emporté la majorité des suffrages dès le premier tour ; les résultats officiels annoncés par le ministère de l'intérieur mettent les deux candidats en ballottage. La Haute cour constitutionnelle tranche finalement en faveur de Marc Ravalomanana. La France est en porte-à-faux : ses préférences vont au président sortant d'autant que son outsider n'a jamais caché son peu de francophilie et sa fascination pour le monde anglo-saxon. Mais la France ne veut pas aller contre la volonté populaire malgache qui s'est prononcée en faveur du changement. Après plusieurs mois de tergiversations – qui contribuent à ternir durablement son image sur la « Grande Ile » – la France reconnaît finalement la défaite de son poulain.

Mais c'est en Côte d'Ivoire que la nouvelle politique de non-ingérence est la plus profondément mise à l'épreuve[11]. En raison de la figure tutélaire de Félix Houphouët-Boigny, de l'importante communauté française qui y réside, de la prospérité de son économie, la Côte d'Ivoire fait figure de symbole de la relation franco-africaine. Elle est liée à la France depuis 1961 par un accord de défense. Mais la « Suisse de l'Afrique de l'Ouest » va mal. Le tribalisme gagne du terrain. Le successeur de Houphouët-Boigny, Henri Konan Bédié, développe le concept de « l'ivoirité » pour barrer la route de son principal opposant, Alassane Ouattara, originaire du nord du pays. L'armée grogne. En 1999, à l'approche des fêtes de Noël, quelques casques bleus de la Minurca de retour de Centrafrique réclament le versement de leurs primes. Ils sollicitent l'ancien chef d'état-major de l'armée, Robert Guéï, que Bédié a limogé en 1995. Le général Guéï apparaît à la télévision et annonce la prise du pouvoir par une junte. L'appel à la « légalité républicaine » que Bédié lance sur RFI tombe à plat. Dans les quartiers dioulas d'Abidjan, hostiles au président, on fête déjà la chute du « tyran ».

---

11. Judith Rueff, *Côte d'Ivoire. Le feu au pré carré*, Autrement, coll. Frontières, 2004 (nous avons rendu compte de cet ouvrage dans *La Revue internationale et stratégique*, n° 56, hiver 2004-2005, pp. 127-128) ; Stephen Smith, « La France dans la crise ivoirienne : ni ingérence, ni indifférence, mais indolence post-coloniale » in Marc Le Pape & Claudine Vidal, *Côte d'Ivoire. L'année terrible 1999-2000*, Karthala, 2002, pp. 311-324.

Le président Bédié, sa femme, ses enfants, accompagnés de la famille du Premier ministre se réfugient à l'ambassade de France où ils passent un étrange réveillon en compagnie de l'ambassadeur Francis Lott. Pendant ce temps, à Paris, les discussions sont vives entre l'Elysée – dont la cellule africaine est dirigée par Michel Dupuch qui fut longtemps ambassadeur à Abidjan et est un ami personnel de Bédié – Matignon et le Quai d'Orsay. Le président Chirac s'inquiète du sort des 22 000 expatriés français. Il craint également que la réussite du putsch ne constitue un « fâcheux précédent »[12]. Pour autant, il ne fait pas donner les soldats français du 43e Bima contre les putschistes. En pleine cohabitation, il n'ose pas croiser le fer avec Lionel Jospin dont les sympathies vont à l'opposant socialiste Laurent Gbagbo. Les contacts noués avec la Cedeao (Communauté économique des États de l'Afrique de l'Ouest) l'ont aussi poussé à la retenue : sans doute les pairs africains de Bédié réprouvent-ils le putsch mais ils envisagent d'un aussi mauvais œil une intervention militaire française. C'est donc la solution la plus paresseuse, la moins compromettante, qui l'a emporté durant la trêve des confiseurs, une période de l'année qui se prête mal, à Paris, à une intense concertation interministérielle[13] : le président Bédié et ses proches sont évacués par hélicoptère vers Lomé puis vers Paris. La médiocrité du personnage, l'ineptie de la politique qu'il a menée depuis six ans ont été pour beaucoup dans son « lâchage ». Judith Rueff a raison d'écrire : « Le putschiste ne plaît pas mais son prédécesseur ne vaut pas la peine qu'on se batte pour lui »[14]. Charles Josselin est moins brutal en théorisant dès le 27 décembre la réaction française qui « illustre la nouvelle politique française de non-ingérence »[15].

L'attitude de la France n'est guère plus glorieuse, dix mois plus tard, lors des élections présidentielles ivoiriennes. Le général Gueï a tenu sa promesse de les tenir rapidement ; mais leur préparation est calamiteuse. Fort de l'appui du président de la Cour suprême, le général, qui se rêve un destin gaulliste, a écarté du scrutin ses principaux concurrents : Alassane Ouattara et Henri Konan Bédié. Il est néanmoins défait par le dernier candidat sérieux resté en lice, Laurent Gbagbo, qui

---

12. S. Smith, op. cité, p. 312.
13. Le soir de Noël, Jacques Chirac est au Maroc, Michel Dupuch en Dordogne, Georges Serre, le « conseiller Afrique » de Hubert Védrine, en Bretagne.
14. J. Rueff, op. cité, p. 71.
15. J. Rueff, op. cité, p. 69.

peut compter sur le soutien de la communauté bété à laquelle il appartient et qui représente environ 10 % de la population ivoirienne. Ce dénouement est un double soulagement à Paris : il marque le retour d'un civil au pouvoir et, pour Lionel Jospin, la victoire d'un camarade socialiste. Pourtant, l'élection de Laurent Gbagbo soulève plus de problèmes qu'elle n'en résout. Le nouveau président, mal élu, souffre d'un déficit de légitimité. Sa victoire a creusé un fossé entre le Nord musulman et le Sud chrétien que Gbagbo, qui interdit à Ouattara de se présenter aux législatives de décembre 2000, ne fait rien pour combler. Le jour même de son investiture, les affrontements font rage dans les quartiers populaires d'Abidjan entre Dioulas du RDR (Rassemblement des républicains de Côte d'Ivoire) et jeunes gbagbistes. À Yopougon, 157 corps sont exhumés d'un charnier.

En 1999 comme en 2000, la France de la cohabitation a compté les coups en évitant de trop en prendre. Stephen Smith force sans doute le trait en parlant d'indolence post-coloniale[16]. L'expression fait injure à tous les acteurs français de la politique africaine auxquels on peut peut-être reprocher leurs contradictions, leurs hésitations, parfois même leurs erreurs, mais pas leur paresse. Il n'en reste pas moins que la politique menée en Côte d'Ivoire, qui avait longtemps été le fleuron de la colonisation française en Afrique occidentale et où l'influence de la France aurait dû demeurer la plus forte, démontre la relégation de la France. Qu'on s'en félicite ou qu'on le déplore, la France ne veut plus, ne peut plus faire et défaire les gouvernements. Elle ne ménage pas son énergie pour donner des conseils, pour rechercher des solutions ; mais elle n'interviendra plus militairement pour faire prévaloir sa voix. La France n'est plus le gendarme de l'Afrique.

1.1.2 *L'aggiornamento de la coopération*[17]

La réforme du dispositif institutionnel de la coopération est l'autre volet de la politique de « ni-ni » mise en œuvre par le gouvernement socialiste. Cette réforme n'a rien de partisan. Des gouvernements de droite comme de gauche l'ont depuis presque quarante ans envisagée sur la foi de rapports unanimes à condamner la

---

16. S. Smith, op. cité, p. 311.
17. On renvoie à la thèse de Julien Meimon, En *quête de légitimité. Le ministère de la Coopération (1959-1999)*, Université Lille-II, 2005 ainsi qu'à l'article qu'il en a tiré : « Que reste-t-il de la coopération française ? », *Politique africaine*, n° 105, mars 2007, pp. 27-50.

politisation de l'aide à l'Afrique : commission Pignon (1962), rapport Jeanneney (1964), rapport Gorse (1971), rapport Abelin (1975), commission Hessel (1990), rapport Michaïlof (1993)[18]. Leurs auteurs proposent peu ou prou les mêmes réformes : l'intégration de la Coopération aux Affaires étrangères, le pilotage de la politique d'aide par un comité interministériel, la montée en puissance d'un « opérateur-pivot », l'extension du « champ » à l'ensemble des pays ACP[19].

Mais ces réformes opportunes se heurtent, encore et toujours, au tir de barrage des « anciens ». En 1981, on a vu comment François Mitterrand et Guy Penne ont eu raison de l'enthousiasme réformateur de Jean-Pierre Cot. En 1995, lorsque Jacques Chirac accède à l'Elysée, le même scénario se reproduit à quelques détails près. Cette fois-ci, l'initiative réformatrice est à Matignon dont le nouvel occupant, Alain Juppé, occupait jusqu'alors les fonctions de ministre des affaires étrangères, assisté d'un directeur de cabinet, Dominique de Villepin qui connaît bien les questions africaines[20]. Mais l'annonce de la fusion des deux ministères par le ministre des affaires étrangères Hervé de Charrette en septembre 1995 se heurte au veto du Président de la République : « il y aura toujours en France, en tous les cas tant que j'assumerai mes responsabilités, un ministère de la Coopération ayant ses moyens et son identité » proclame-t-il haut et fort à Cotonou en décembre 1995[21].

Deux ans plus tard, le ministère de la Coopération disparaît, absorbé par les Affaires étrangères. Profitant de « l'état de grâce » dont jouit la nouvelle administration installée mi-1997, un petit groupe de hauts fonctionnaires de Matignon,

---

18. Léon Pignon (dir.), *Rapport général de la commission chargée de la réorganisation des structures de l'aide et de la coopération aux pays en voie de développement*, 1962 ; Jean-Marcel Jeanneney (dir.), *La politique de coopération avec les pays en voie de développement*, 1964 ; George Gorse (dir.), *La coopération de la France avec les pays en voie de développement*, 1971 ; Pierre Abelin, *Rapport sur la politique française de coopération*, 1975 ; Stéphane Hessel, *Les relations de la France avec les pays en développement*, 1990 ; Serge Michaïlof (dir.), *La France et l'Afrique. Vade-mecum pour un nouveau voyage*, Karthala, 1993.

19. Le « champ » est limité aux seules ex-colonies françaises d'Afrique subsaharienne alors que les pays ACP (Afrique Caraïbes Pacifique) comprennent l'ensemble des pays en voie de développement d'Afrique, d'Amérique et d'Océanie associés à la Communauté économique européenne (CEE) par les accords de Yaoundé.

20. À sa sortie de l'ENA, en 1980, Dominique de Villepin a choisi la Direction des Affaires africaines et malgaches. Après un passage à Washington et à New Delhi, il y est revenu en 1992 en qualité de directeur-adjoint.

21. J. Meimon, op. cité, p. 27.

du Quai d'Orsay et de la rue Monsieur, cooptés par le conseiller diplomatique du Premier ministre, Jean-Maurice Ripert, lancent et réussissent une « blitzkrieg »[22] qui rallie à leur cause le nouveau ministre de la coopération, prend de vitesse les syndicats de la Coop' et déjoue les blocages de l'Elysée.

Mais la réforme ne se réduit pas à la disparition du ministère de la coopération. Dans l'esprit de ses concepteurs, il s'agit de rationaliser le dispositif de l'aide publique au développement en distinguant la conception politique de sa mise en œuvre proprement dite. Le comité interministériel de la coopération internationale et du développement (Cicid), présidé par le Premier ministre, est censé arbitrer les différends interministériels et orienter la politique publique d'aide au développement. La fonction d'opérateur-pivot est confiée à l'Agence française de développement (AFD) – qui est le nouveau nom de la Caisse française de développement (CFD). La participation de la « société civile » est assurée par un nouvel organe, le Haut conseil de la coopération internationale (HCCI), conçu comme un mini-parlement de 45 membres composé d'un tiers d'élus (députés, sénateurs, maires, conseillers régionaux, généraux, municipaux) et de deux tiers de personnalités représentatives du monde associatif. Enfin, la France entend élargir sa politique de coopération avec la création d'une zone de solidarité prioritaire (ZSP) forte de soixante-et-un[23] pays éligibles aux crédits du Fonds de solidarité prioritaire (FSP) – lequel succède au Fonds d'aide et de coopération (FAC) – situés non seulement en Afrique francophone, mais aussi en Afrique orientale et australe, en Asie du sud-est, dans les Caraïbes et dans le Pacifique.

La réforme de la coopération constitue un pas historique. Trois critiques lui sont néanmoins adressées.

La première est d'être intervenue dans un contexte d'effondrement de l'aide publique au développement. Culminant à 0,64 % du PIB en 1994 – ce pic correspond, il est vrai, aux mesures exceptionnelles d'accompagnement de la dévaluation du franc CFA – l'APD française est quasiment divisée par deux en l'espace de six années, passant de 47 à 29 milliards de francs en 2000, soit 0,31 % du PNB. Alors que le champ de la coopération a la prétention de s'élargir aux nouveaux membres de la FSP, cette contraction de l'APD conduit automatiquement à une

---

22. Idem, p. 35.
23. En 2004, ce nombre a été ramené à cinquante-cinq.

dilution et à un saupoudrage de l'aide. Tandis que les autres indicateurs de la présence française sont tous à la baisse (échanges commerciaux, investissements directs, coopération militaire, nombre d'assistants techniques), l'impression qui prédomine est que la France abandonne l'Afrique [24].

La deuxième est de n'être pas allé au bout de la clarification administrative qu'elle était censée amener. L'OPA du Quai d'Orsay sur la rue Monsieur est sans incidence sur l'organisation administrative du ministère de l'économie et des finances et ne modifie en rien le vieux rapport de forces entre « les Finances » et « la Coop' ». Au contraire, le renforcement de l'Agence française de développement (AFD), qui prend en charge une partie de l'aide-projet, brouille les frontières de compétences entre l'AFD et la DGCID (Direction générale de la coopération internationale et du développement) à Paris, entre les Scac (Services de coopération et d'action culturelle) et les agences de l'AFD sur le terrain. Les Cicid (Comité interministériel de la coopération internationale et du développement) devraient arbitrer ces conflits. Mais ils se réunissent trop rarement pour être efficaces (Cf. *infra* chapitre 3).

La troisième lui reproche de s'être borné à modifier les structures sans moderniser la politique de coopération : « *La grande réforme de l'aide publique française s'est arrêtée à celle du seul dispositif administratif – d'une lourdeur effrayante – sans déboucher aucunement, bien au contraire, sur la définition claire d'une nouvelle et crédible politique française du développement* », affirme Michel Charasse lors de l'adoption par le Sénat en octobre 2001 d'un rapport sur la réforme de la coopération [25]. En particulier, la politique française de coopération, écartelée entre un discours développementaliste marqué à gauche et une approche néo-libérale plutôt de droite, perpétue au nom du refus de l'indifférence un « système caritatif, clientéliste et rentier » [26].

---

24. Jean de la Guérivière, « La France *out of Africa* ? », *Géopolitique africaine*, n° 3, juillet 2001, p. 45.
25. Cité par Antoine Glaser & Stephen Smith, *Comment la France a perdu l'Afrique*, Calmann-Lévy, 2005, p. 116.
26. Assemblée nationale, 26 septembre 2001, Rapport d'information n° 3283 sur la réforme de la coopération déposé par la commission des finances, de l'économie générale et du plan et présenté par M. Alain Barrau, p. 146.

1.2   La France de retour en Afrique

Au lendemain de la réélection de Jacques Chirac, la France annonce son retour en Afrique. Dominique de Villepin, le nouveau ministre des affaires étrangères, veut rompre avec « l'ambivalence comateuse » [27] qui aurait caractérisé la politique africaine de Lionel Jospin. Revenant aux sources du gaullisme, le Président et son Premier ministre réévaluent le rôle de l'Afrique sur l'échiquier international. Ils estiment que l'appui du continent est indispensable à qui veut contrebalancer le poids des États-Unis. Cet appui suppose que soit mis un terme au « désengagement en douceur » [28] d'un continent à l'intérêt stratégique retrouvé.

1.2.1 *Chirac, porte-parole de l'Afrique*

L'intérêt renouvelé de la France pour l'Afrique se manifeste d'abord par les prises de position publiques du Président français en faveur de l'Afrique. Animé, on l'a dit, par un amour sincère du continent africain, le Président Chirac trouve des accents gaullistes pour dénoncer la marginalisation de l'Afrique dans la mondialisation et pour plaider en faveur de sa meilleure intégration. Au conseil de sécurité de l'ONU, il plaide en faveur de l'attribution d'un siège de membre permanent à un pays africain. Au G8, il obtient, à partir de 2001, qu'une place soit faite à quelques Chefs d'États africains et surtout que les pays les plus industrialisés s'intéressent au sort de l'Afrique [29]. Au siège des institutions financières internationales, les représentants africains savent pouvoir compter sur la « chaise » française pour faire entendre leur voix : « *Sans Paris, nous n'aurions jamais accès aux dirigeants de la Banque mondiale ou du Fonds monétaire international. On ne pourrait pas se faire entendre* », résume l'ancien premier ministre de la République centrafricaine Martin Ziguélé [30].

---

27. Daniel Bourmaud, « La nouvelle politique africaine de la France à l'épreuve », *Esprit*, n° 8-9, août-sept. 2005, p. 18.
28. Idem.
29. Les présidents de l'Algérie, du Sénégal, du Nigeria, de l'Afrique du Sud et du Mali (qui exerçait la présidence de l'Union africaine) ont été invités au G8 de Gênes pour y présenter leur initiative de « Nouveau partenariat pour le développement de l'Afrique » (NEPAD). L'habitude s'est depuis lors gardée d'inviter les principaux dirigeants africains. Le G8 d'Evian en juin 2003 voit ainsi la participation de l'Afrique du Sud, de l'Algérie, de l'Egypte, du Nigeria et du Sénégal.
30. Philippe Bernard & Jean-Pierre Tuquoi, « France-Afrique : la fin des "années Chirac" », *Le Monde*, 13 février 2007.

Cet engagement n'est pas totalement désintéressé. D'une part, la France met parfois en avant la défense des intérêts africains pour mieux défendre les siens. D'autre part, la France soutient l'Afrique dans les enceintes internationales en escomptant d'elle qu'elle lui apporte ses voix dans les votes cruciaux. L'adoption de la convention sur la protection et la promotion de la diversité culturelle à l'Unesco en 2005, les conférences post-Rio sur le développement durable, les négociations du cycle de Doha qui voient Jacques Chirac s'associer à Erik Orsenna[31] pour défendre le coton africain – et attaquer le système américain de subvention aux agriculteurs – sont autant d'exemples de coopération opportuniste où l'intérêt bien compris de la France se confond avec la défense en apparence généreuse des positions africaines.

C'est en matière d'aide publique au développement que l'action de Jacques Chirac a été la plus déterminante. C'est sous son initiative qu'est lancée au G7 de Lyon en 1996 l'initiative en faveur des pays pauvres très endettés (PPTE). Il s'agit de rétablir la solvabilité de ces pays en annulant la part de leur dette extérieure dépassant un niveau considéré comme « soutenable » au regard de leurs perspectives de croissance. Cette initiative fut étendue lors du G8 de Gleneagles en 2005 à la dette multilatérale. Lors de ce sommet, les membres du G8 s'engagent également à doubler leur aide à l'Afrique avant 2010.

Au-delà des efforts réalisés dans le cadre du Club de Paris[32], la France procède en outre à des annulations bilatérales additionnelles en négociant avec les pays bénéficiaires des contrats de désendettement et de développement (C2D) : ils permettent de refinancer les échéances de la dette restant due par des dons destinés à des programmes de lutte contre la pauvreté. Entre 2001 et 2006, le montant annuel des annulations de dette nettes a été multiplié par sept passant de 366 à 2 700 millions d'euros[33]. Cette augmentation se traduit par une progression

---

31. Auteur d'un ouvrage de vulgarisation sur l'économie du coton (*Voyage au pays du coton. Petit précis de mondialisation*, Fayard, 2006), Erik Orsenna s'est vu chargé d'un rapport sur la question qu'il a présenté lors du XXIVe sommet Afrique-France à Cannes en février 2007.
32. Le Club de Paris est un groupe informel de créanciers publics qui a pour but de trouver des solutions coordonnées et durables aux difficultés des nations endettées et de leurs créanciers. Créé en 1956, il est présidé par la France qui en assure également le secrétariat. Le Club de Londres est une structure analogue qui rassemble des créanciers privés.
33. OCDE, *Examen de l'aide française par les pairs du Comité d'aide au développement*, 2008, p. 42.

spectaculaire de l'APD française. Après un point bas atteint en 2000, l'APD culmine à 0,47 % du revenu national brut en 2006, passant de 4,4 à 8,4 milliards d'euros. Cet effort place la France au premier rang des pays du G7, si l'on rapporte son APD à son revenu national brut, mais au onzième rang seulement des pays du Comité d'aide au développement (CAD) de l'OCDE derrière notamment la Suède, la Norvège, le Luxembourg, etc. L'Afrique subsaharienne – qui compte 43 des 55 membres de la ZSP – est le premier bénéficiaire de cette augmentation, puisqu'elle représente environ 60 % de l'APD française [34] – contre 40 % en moyenne chez les autres donateurs du CAD. Cet effort ne permet toutefois pas à la France d'atteindre les objectifs ambitieux que le Président Chirac lui avait fixés : lors de la conférence de Monterrey de 2002, Jacques Chirac s'était engagé à augmenter l'effort français d'APD pour atteindre 0,5 % du PIB en 2007 et 0,7 % en 2012. Ces objectifs ne seront pas atteints. Et il n'est pas évident que les contraintes budgétaires actuelles permettent à la France d'atteindre l'objectif que l'Union européenne s'est fixé en juin 2005 d'atteindre la barre de 0,7 % à l'horizon 2015.

La France a néanmoins encouragé la réflexion sur la création de mécanismes innovants de financement de l'aide internationale [35]. Avec le Brésil, elle a institué une contribution internationale de solidarité prélevée sur les billets d'avion qui est désormais mise en œuvre par onze pays. Les revenus de cette taxe sont affectés au financement de la facilité internationale d'achats de médicaments Unitaid. Avec le Royaume-Uni, la France a lancé en 2006 la Facilité internationale de financement pour la vaccination (IFFIm) qui mobilise des ressources sur les marchés financiers destinées aux programmes menés par l'Alliance mondiale pour les vaccins et l'immunisation (GAVI). Par ailleurs, la loi Oudin du 9 février 2005 innove en permettant aux budgets locaux des services publics de l'eau et de l'assainissement de financer des actions de coopération et de solidarité internationale. D'autres projets

---

34. La ventilation de l'APD par région/pays destinataire est un exercice statistique plus compliqué qu'on ne le pense. Un quart environ de l'APD française est versée sous forme d'aide multilatérale via l'Union européenne, les Nations unies ou les institutions de Bretton Woods. La ventilation par destinataire de cette aide-là ne fait guère de sens car elle dépend essentiellement des décisions des institutions multilatérales qui la distribuent. Quant à l'aide bilatérale, une part significative est transversale et thématique et ne peut être ventilée.

35. La France assure le secrétariat permanent du « Groupe pilote sur les contributions internationales de solidarité en faveur du développement » qui rassemble 55 pays, les principales organisations internationales ainsi que des ONG.

sont à l'étude concernant la taxation des émissions de carbone ou des transactions de change.

1.2.2 *Villepin : le retour de l'interventionnisme*

Dès son arrivée au ministère des Affaires étrangères, Dominique de Villepin, conseillé par Nathalie Delapalme, veut insuffler une énergie nouvelle à la politique africaine de la France. La « banalisation ambiguë » ou « l'abandon progressif »[36] sont aux antipodes du volontarisme du nouveau ministre. Pour la nouvelle équipe, la France doit avoir le courage de prendre ses responsabilités en envoyant ses militaires sur le terrain.

Cette posture guerrière rompt avec la neutralité prudente des années précédentes. Elle tire les conséquences de l'impasse dans laquelle l'abstention de la France et la sous-traitance aux organisations régionales africaines ont laissé pourrir certaines situations. Elle est le signe que le temps a passé depuis la Somalie et le Rwanda et qu'une parenthèse abstentionniste se referme. Ce retour à une politique plus interventionniste n'est d'ailleurs pas propre à la France : en 2000, le Royaume-Uni de Tony Blair envoie ses troupes en Sierra Leone pour y faire cesser la guerre civile qui déchire cette ancienne colonie anglaise d'Afrique occidentale[37].

Pour autant, ce nouvel interventionnisme ne vaut pas retour du « gendarme de l'Afrique ». Les temps héroïques où la France « avec cinq cents hommes [pouvait y] changer le cours de l'Histoire »[38] sont révolus. L'Afrique ne l'accepterait plus, l'opinion publique française et internationale non plus. Pour être légitime, l'intervention française doit se faire en concertation avec les pouvoirs africains et avec l'onction des instances multilatérales. Telle est la philosophie du « nouveau partenariat » prôné par Jacques Chirac et Dominique de Villepin[39].

---

36. D. Bourmaud, op. cité, p. 18.

37. François Gaulme, *Intervenir en Afrique ? Le dilemme franco-britannique*, Les notes de l'Ifri, n° 34, 2001.

38. On doit cette phrase, souvent citée, à Louis de Guiringaud, le ministre des affaires étrangères de Valéry Giscard d'Estaing, commentant dans *L'Express* du 15 décembre 1979 l'opération Barracuda qui avait déposé l'empereur Bokassa et ramené au pouvoir l'ancien président Dacko.

39. Dominique de Villepin « La France, l'Europe et l'Afrique : vers un nouveau partenariat dans la mondialisation », discours à l'université de Wits, Johannesbourg, 1er décembre 2006.

La Côte d'Ivoire illustre le nouveau cours de la politique chiraquienne. En septembre 2002, Laurent Gbagbo doit faire face à l'offensive de la rébellion nordiste qui menace d'emporter son régime. C'est un test pour le nouveau gouvernement de droite : laissera-t-il tomber ce président socialiste mal élu au nom de la « neutralité » qui avait dicté la politique française depuis le putsch de Noël 1999 ? ou interviendra-t-il pour éviter que le pays ne sombre dans le chaos ? Paris semble hésiter, tandis que Robert Gueï est assassiné et que Alassane Ouattara échappe de justesse à la mort en se réfugiant à l'ambassade de France. La France reste sourde aux appels à l'aide du Président Gbagbo qui voit la main du Burkina Faso et de la Libye derrière la rébellion. Mais elle envoie néanmoins 4 000 soldats – soit le plus fort contingent de troupes jamais expédié en Afrique depuis l'opération Manta dans le nord du Tchad en 1983 – dans le cadre de l'opération Licorne chargés de protéger la communauté française et de faire respecter le cessez-le-feu entre les rebelles et les forces régulières. Cette solution ne satisfait personne : les gbagbistes reprochent à Paris de ne pas avoir mis en œuvre l'accord de défense de 1961 qui oblige la France à protéger l'intégrité territoriale de la Côte d'Ivoire, les rebelles accusent la France d'ingérence dans les affaires intérieures ivoiriennes. L'arbitre français est « pris en tenaille » [40].

Conformément à sa nouvelle « feuille de route » [41], la France appuie de tout son poids la médiation africaine chargée de trouver un règlement politique au conflit. Mais, avec l'enlisement des négociations de Lomé menées sous l'égide de la Cedeao, elle doit s'impliquer plus directement. Dominique de Villepin est à la manœuvre en se rendant une première fois en Côte d'Ivoire et dans la sous-région en novembre 2002, puis une seconde en janvier 2003 où il rencontre les rebelles dans leur fief de Bouaké. Cette visite, qui confère aux rebelles une légitimité que le pouvoir ivoirien leur déniait, exacerbe l'hostilité de la « rue » et ouvre les vannes d'un nationalisme anticolonialiste qu'attise le président Gbagbo. C'est avec beaucoup de réticence qu'il accepte d'envoyer ses représentants aux négociations de Linas-Marcoussis, en janvier 2003. Et s'il signe à Paris, en présence de Jacques Chirac et de Kofi Annan, l'accord final du 25 janvier qui prévoit le partage du pouvoir, il ne le mettra jamais en œuvre.

---

40. Thomas Hofnung, « En finir avec la « Françafrique » », *Politique internationale*, n° 112, été 2006, p. 384.

41. D. Bourmaud, op. cité, p. 20.

Pris en tenaille entre un clan présidentiel manipulateur et une rébellion séces-sionniste, l'appareil d'État français se fissure[42]. La question du crédit à accorder au président Gbagbo est au cœur des débats. Tous s'en méfient. L'Elysée – où Michel de Bonnecorse a succédé depuis septembre 2002 à Michel Dupuch – et les militai-res sont les plus intransigeants. Nathalie Delapalme et l'ambassadeur de France à Abidjan, Gildas Le Lidec, estiment en revanche que, malgré ses défauts, il est le seul interlocuteur crédible en Côte d'Ivoire et que la sortie de la crise passe par lui. Les ponts semblent définitivement rompus le 6 novembre 2004 lorsque la force Licorne ouvre le feu sur des civils ivoiriens à Abidjan. Le matin même, les forces régulières ivoiriennes ont bombardé le lycée Descartes de Bouaké qui abrite un cantonnement de la force Licorne, tuant neuf soldats français et un civil américain. Cette agression a provoqué la réaction immédiate de la France et la destruction de l'aviation militaire ivoirienne. Téléguidés par le clan présidentiel, les « jeunes patriotes » s'en prennent aux Blancs d'Abidjan qui trouvent refuge dans la base du 43e Bima (bataillon d'infanterie de marine). Pour protéger le pont Charles-de-Gaulle qui permet l'accès à la base, le commandant de Licorne, le général Poncet – qui entretient avec l'ambassadeur Le Lidec des relations exécrables – donne aux hélicoptères l'ordre de tirer. Quelque 8 300 Français encore présents en Côte d'Ivoire sont évacués en hâte.

Une page se tourne dans la relation franco-ivoirienne. Le général Poncet puis l'ambassadeur Le Lidec quittent Abidjan. Jacques Chirac choisit d'ignorer Laurent Gbagbo et laisse à l'Afrique du Sud le soin de mener la mission de bons offices dont l'a mandaté l'Union africaine[43]. La réduction des effectifs de Licorne – dont le coût pèse lourdement sur les finances du ministère de la Défense – coïncide avec la montée en puissance des casques bleus de l'Onuci (Opération des Nations unies en Côte d'Ivoire). En octobre 2005, le Conseil de sécurité de l'ONU prolonge pour douze mois le mandat de Laurent Gbagbo mais lui adjoint un Premier ministre « acceptable par toutes les parties », en la personne de Charles Konan Banny, qu'épaule un groupe de travail international (GTI) chargé de superviser la transition.

---

42. Laurent d'Ersu, « La crise ivoirienne, une intrigue franco-française », *Politique africaine*, n° 105, mars 2007, p. 94.

43. Mais Jacques Chirac ne résiste pas au plaisir d'ironiser sur l'échec de cette médiation, déclarant, lors d'un voyage officiel au Sénégal en février 2005 « Il faut que Thabo Mbeki s'immerge dans l'Afrique de l'Ouest pour comprendre sa psychologie et son âme » (cité par Laurent d'Ersu, p. 100).

Ce groupe se réunit mensuellement à Abidjan autour du Premier ministre. La France y participe activement en la personne de la ministre déléguée à la coopération, la chiraquienne Brigitte Girardin[44]. Le mandat du GTI est clair : préparer l'après-Gbagbo et mettre sur orbite Konan Banny pour les élections présidentielles prévues en octobre 2006. Mais le président ivoirien prend ses adversaires à contre-pied en engageant un dialogue direct avec Guillaume Soro, le jeune chef des Forces nouvelles. Les négociations, parrainées par le président burkinabé Blaise Compaoré, aboutissent à la signature de l'accord de Ouagadougou le 4 mars 2007 : Soro devient Premier ministre et Gbagbo a les coudées franches pour organiser et remporter les prochaines élections présidentielles dont la date ne cesse d'être repoussée.

Le bilan de la crise ivoirienne est terrible pour la France. Quand elle est intervenue, elle a été accusée de néo-colonialisme ; quand elle s'est abstenue, on lui a rappelé ses responsabilités historiques. En dépit de l'hostilité quasi-unanime de tout l'appareil d'État français, le président Gbagbo, mal élu en 2000, est toujours au pouvoir neuf ans plus tard. L'ironie est cuisante pour l'ancienne puissance coloniale qui voit la crise se résoudre par un accord de paix négocié sans elle au Burkina Faso. La multilatéralisation de la gestion de la crise ivoirienne a montré ses limites : ni la Cedeao, ni l'Union africaine, ni l'ONU n'ont eu prise sur les événements. Le rapatriement des Français de Côte d'Ivoire – le plus massif depuis celui des Français d'Algérie – marque les esprits[45]. Plus inquiétant encore : la crise ivoirienne a révélé l'existence d'un puissant sentiment antifrançais chez les Africains, notamment les plus jeunes, que le pouvoir peut instrumentaliser à sa guise.

Mis à mal en Côte d'Ivoire, le nouvel interventionnisme français est en porte-à-faux dans le reste de l'Afrique où le discours volontariste de Dominique de Villepin doit s'accommoder du soutien élyséen à de vieilles dictatures ripolinées.

Au Togo, en février 2005, Jacques Chirac ne se contente pas de rendre hommage à un « ami personnel » à la mort de Gnassingbé Eyadéma, mais il

---

44. Diplomate de carrière, Brigitte Girardin a longtemps travaillé au ministère de l'outre-mer rue Oudinot aux côtés de Dominique Perben puis de Jean-Jacques de Peretti. Elle est en charge de ce dossier lorsqu'elle rejoint l'Elysée en 2000. En 2002, elle devient ministre de l'outre-mer dans le gouvernement Raffarin. En 2005, elle est nommée ministre déléguée à la coopération, au développement et à la francophonie dans le gouvernement Villepin.
45. Assemblée nationale, 13 février 2007, Rapport d'information n° 3694 sur la situation des Français rapatriés de Côte d'Ivoire déposé par la commission des affaires étrangères et présenté par M. Jean-Luc Reitzer.

facilite l'accession au pouvoir de son fils, Faure Gnassingbé, se désolidarisant de ses partenaires de l'Union européenne qui avaient adopté une position beaucoup moins indulgente à l'égard du régime togolais.

À l'égard du Zimbabwe, c'est le silence de la France qui surprend. Elle laisse au Royaume-Uni de Tony Blair le monopole de la critique du régime de Robert Mugabe. De peur de gâcher la fête franco-africaine, elle invite le président du Zimbabwe à Paris en février 2003 au XXIIe sommet France-Afrique, ce qui fait grincer bien des dents outre-Manche.

Mais c'est au Tchad que la position française est peut-être la plus caricaturale. Territoire enclavé de la bande sahélienne, peuplé par 200 ethnies parlant plus de 100 langues, cet « État fictif »[46], parmi les plus pauvres au monde vit depuis cinquante ans dans un état de crise permanente. La France a été impliquée dans tous les soubresauts de sa vie politique. Elle soutient d'abord le sudiste François Tombalbaye qui meurt assassiné en 1975. En 1982, elle chaperonne Hissène Habré face à Goukouni Oueddeï, allié à la Libye qui occupe et revendique la bande d'Aouzou dans le nord du pays. En décembre 1990, c'est avec l'appui de la DGSE que Idriss Déby – un officier de l'armée de l'air formé en France – prend le pouvoir. Elu pour un premier mandat en 1996, réélu en 2001, il modifie la Constitution qui lui interdit de se présenter une troisième fois. Mais la fragilité de son régime est évidente. Soutenus par le Soudan[47], des mouvements rebelles désunis se retrouvent sur le même objectif : renverser le Chef d'État tchadien. Ils y parviennent presque en février 2006, le régime ne devant sa survie qu'à l'appui logistique des forces militaires françaises.

---

46. Pierre Conesa, « Les soubresauts d'un État fictif. Le Tchad des crises à répétition », *Le Monde diplomatique*, mai 2001, p. 23.
47. Roland Marchal, « Tchad/Darfour : vers un système de conflits », *Politique africaine*, n° 102, juin 2006, p. 134.

2   NICOLAS SARKOZY : LES ESPOIRS DÉÇUS D'UNE RUPTURE ANNONCÉE [48]

Une fois encore, l'élection présidentielle de 2007 fait naître l'espoir de l'éclosion d'une nouvelle politique africaine. L'Afrique n'est certes pas au centre des joutes électorales. Si Nicolas Sarkozy et Ségolène Royal l'évoquent, durant les dernières minutes du débat télévisé qui les oppose le 2 mai 2007, c'est à travers le prisme déformant de la compassion humanitaire à l'égard du Darfour et de l'inquiétude sécuritaire face à l'immigration [49]. Les deux favoris ont tout de même jugé utile d'effectuer le pèlerinage habituel en terre africaine, se livrant même à Dakar – dont Ségolène Royal est native – à un « marquage à la culotte » : dès que l'annonce du voyage de la candidate socialiste a été faite, le ministre de l'Intérieur s'est dépêché d'aller signer à Dakar un accord franco-sénégalais sur la gestion concertée des flux migratoires.

L'indifférence générale de l'opinion publique n'empêche pas les candidats de prendre position en faveur d'une refondation des relations franco-africaines [50]. Dans leurs postures, c'est la sollicitude et la compassion qui dominent. Leur dénonciation d'une politique passéiste, paternaliste, discréditée par des relations trop personnalisées avec des dirigeants corrompus est quasi-unanime. Tous, Nicolas Sarkozy y compris, appellent à une rupture. Car la campagne 2007 annonce un changement de génération parmi les dirigeants français. Ségolène

---

48. Voir sur le sujet : Antoine Glaser & Stephen Smith, *Sarko en Afrique*, Plon, 2008 (nous avons rendu compte de cet ouvrage dans *Politique étrangère*, n° 1/2009, pp. 216-218).

49. Les deux questions posées par Patrick Poivre d'Arvor sont révélatrices du mode de traitement de l'Afrique à la télévision et de ses amalgames : « Parlons d'un continent que l'on méprise beaucoup, qui souffre, l'Afrique et le Darfour (…) Et sur l'immigration ? ». Mais la réponse de Nicolas Sarkozy n'est pas moins ambiguë qui évoque sans transition, comme si existait entre elles une relation de cause à effet, les politiques d'aide au développement et d'immigration : « La question du développement de l'Afrique est une question majeure que je traiterai dans le cadre de l'Union de la Méditerranée. Cela va de pair avec une politique d'immigration choisie en France, avec une réforme du regroupement familial ».

50. *Politique africaine* a publié, dans son numéro spécial précité, les « engagements de campagne » de François Bayrou, Ségolène Royal et Nicolas Sarkozy vis-à-vis de l'Afrique (« France-Afrique. Sortir du pacte colonial », n° 105, mars 2007, p. 140 sq. accessible en ligne à http://www.politique-africaine.com/numeros/pdf/intro/105140.pdf).

Royal et Nicolas Sarkozy, qui se présentent l'un et l'autre pour la première fois, sont des quinquagénaires décomplexés vis-à-vis d'une histoire coloniale qu'ils sont trop jeunes pour avoir connue. Ils ont compris le désir des opinions publiques africaines et françaises de tourner la page de « l'Afrique de papa »[51].

2.1 « Je veux signer l'acte de décès de la Françafrique »

Nicolas Sarkozy rompra-t-il avec le passé ? L'exceptionnelle énergie qui semble l'animer pouvait laisser espérer, sur ce dossier, une rupture. Sa relative méconnaissance des dossiers africains pouvait aussi, paradoxalement, constituer un avantage. Et les positions qu'il a prises durant la campagne étaient de bon augure.

2.1.1 *Le discours de Cotonou*

Le discours qu'il a prononcé en qualité de ministre de l'Intérieur à Cotonou le 19 mai 2006[52] a été occulté par celui de Dakar du 26 juillet 2007. Il constitue pourtant un condensé éclairant de la nouvelle politique africaine que Nicolas Sarkozy entendait mener. Ce texte est lu avec la « franchise » revendiquée que le candidat affiche volontiers dans ses interventions publiques et qui rompt, selon lui, avec l'hypocrisie ou la complaisance qui caractérisent le dialogue entre Français et Africains : « *permettez-moi de vous parler très franchement, comme on ne le fait sans doute pas assez souvent entre Français et Africains* ».

Cette franchise lui permet de parler sans fard d'un sujet au moins aussi brûlant en Afrique qu'en France : l'immigration : « *Le sujet ne doit plus être tabou. Il est absolument essentiel d'en parler entre nous. Si on laisse aux partis extrémistes le monopole du discours sur l'immigration, il ne faut pas être surpris de voir progresser la xénophobie et le racisme.* » Il prend à contre-pied ses auditeurs africains en leur proposant de régler ensemble cette question : « *Le terme immigration choisie a été beaucoup caricaturé et utilisé à des fins de polémique. (...) Quand je parle d'immigration choisie, c'est une immigration choisie aussi bien par le pays d'origine que par le*

---

51. Elise Colette, « Royal/Sarkozy : rupture et continuité », *JeuneAfrique.com*, 11 février 2007.
52. Accessible en ligne à http://www.u-m-p.org/site/index.php/ump/s_informer/discours/politique_de_la_france_en_afrique_vendredi_19_mai_2006. Les citations qui suivent sont tirées de ce discours.

pays de destination. Immigration choisie veut dire immigration régulée, organisée, négociée entre les pays d'origine et les pays de destination ». Il les flatte, tout en les mettant face à leurs responsabilités (et en dédouanant la France d'une partie des siennes ?) : « *La réussite, votre réussite, dépend d'abord et avant tout de vous-mêmes. La responsabilité du succès ou de l'échec est d'abord la vôtre ».*

L'Afrique qui doit relever, seule, les défis immenses du siècle nouveau doit aussi pouvoir compter sur le soutien de la France. Tout en saluant l'œuvre du général de Gaulle – lequel « *a su comprendre les aspirations de l'Afrique à l'autonomie puis à l'indépendance, les respecter et faire de l'ancienne métropole un partenaire »* – le candidat de l'UMP entend « refuser le poids des habitudes », un refus rendu indispensable par le changement des générations : « *Je crois indispensable de faire évoluer, au-delà des mots, notre relation. L'immense majorité des Africains n'ont pas connu la période coloniale. 50 % des Africains ont moins de 17 ans. Comment peut-on imaginer continuer avec les mêmes réflexes ? ».* Un coup de griffe est lancé au passage à la politique de Jacques Chirac, accusée de reposer trop exclusivement sur des amitiés indéfendables : « *Les relations entre des États modernes ne doivent pas seulement dépendre de la qualité des relations personnelles entre les chefs d'État, mais d'un dialogue franc et objectif, d'une confrontation des intérêts respectifs, du respect des engagements pris ».*

Cette relation doit se construire dans le respect mutuel. La répétition du mot « respect » – qui revient pas moins de seize fois dans un discours de dix pages seulement – est peut-être trop fréquente pour être sincère ; mais elle démontre le souci de traiter l'Afrique en adulte et de rompre avec la posture paternaliste qui prévalait : « *Notre relation doit être décomplexée, sans sentiment de supériorité ni d'infériorité, sans sentiment de culpabilité d'un côté ni soupçon d'en jouer de l'autre, sans tentation de rendre l'autre responsable de ses erreurs. À nous Français de renier tout paternalisme, d'exclure toute condescendance à l'endroit des Africains. Et surtout plus de respect. Nous ne savons pas mieux que vous quel est le bon chemin. Je refuse la posture d'une France donneuse de leçons ».* À ceux qui accusent la France de chercher à exploiter les ressources de son « pré carré », Nicolas Sarkozy répond par deux arguments : premièrement, « *les deux pays africains où Total réalise l'essentiel de sa production sont le Nigeria et l'Angola, deux pays qui ne sont pas parmi les plus proches de la France »* ; deuxièmement « *il n'y a en réalité qu'un petit nombre de grands groupes français qui réalisent une part importante de leur activité en Afrique : Bouygues, Air France, Bolloré, et quelques autres ».* Pour dissiper les fantasmes qui la polluent, il faut que la relation franco-africaine soit plus transparente. Ce passage du discours de Cotonou a été souvent cité – notamment par le secrétaire d'État à la coopération, Jean-Marie Bockel, lorsqu'il engagera le même combat – tant il semble en rupture avec la Françafrique et ses réseaux opaques : « *Il nous faut débarrasser [la relation franco-africaine] des réseaux d'un autre temps, des émissaires officieux qui n'ont d'autre mandat que celui qu'ils s'inventent. Le fonctionnement normal des institutions politiques et diplomatiques doit prévaloir sur les circuits officieux qui ont fait tant de mal par le passé. Il faut définitivement tourner la page des complaisances, des secrets et des ambiguïtés* ».

Il faut un certain courage pour venir au Mali et au Bénin défendre une politique d'immigration choisie qui fait, en Afrique, la quasi-unanimité contre elle. Dans le style qui est le sien [53], dont la franchise revendiquée permet de désamorcer par avance la contestation (« comment pouvez-vous me reprocher ce que je dis dès lors que je suis sincère ? »), Nicolas Sarkozy soulève bien des espérances en annonçant « *une relation nouvelle, assainie, décomplexée, équilibrée, débarrassée des scories du passé et des obsolescences qui perdurent de part et d'autre de la Méditerranée* ». Le journal *Libération* ne s'y trompe pas en titrant le lendemain : « Sarkozy veut nettoyer la "Françafrique" ».

2.1.2 *Trois signaux encourageants*

Le Président mènera-t-il cette politique-là une fois élu ?

Les premiers signaux sont encourageants. À première vue, ils témoignent d'une rupture. Mais, à y regarder de plus près, la rupture annoncée cèdera peut-être sous le « le poids des habitudes ».

Le plus voyant est l'entrée au gouvernement de Rama Yade. Française d'origine sénégalaise, cette jeune – elle est née en décembre 1976 – administratrice du Sénat a été très active durant la campagne présidentielle. Secrétaire nationale de l'UMP chargée de la francophonie, elle est propulsée sur le devant de la scène lors du discours d'investiture du candidat Sarkozy le 14 janvier 2007 à la Porte de Versailles. Elle devient, avec Rachida Dati, la coqueluche des médias et, lors de la

---

53. Damon Mayaffre, « Vocabulaire et discours électoral de Sarkozy : entre modernité et pétainisme », *La Pensée*, n° 352, 2007, p. 65.

formation du gouvernement de François Fillon, le symbole éclatant de la nouvelle diversité française. Ce succès ne doit toutefois pas occulter la modestie de ses attributions. Secrétaire d'État chargée des Affaires étrangères et des Droits de l'Homme, Rama Yade est placée sous la coupe de Bernard Kouchner. Rama Yade n'a aucune administration placée sous son autorité, aucun pouvoir si ce n'est celui de la parole dont elle saura user, au risque de mettre à mal la solidarité gouvernementale lorsqu'elle soutient des squatteurs sous le coup d'une mesure judiciaire d'expulsion à Aubervilliers ou réprouve la visite d'État du colonel Kadhafi en France en décembre 2007 [54]. Elle quitte son ministère qui disparaît avec elle en juin 2009 pour prendre le portefeuille des Sports.

Le plus symbolique est la disparition de la « cellule africaine » de l'Elysée. Le responsable des questions africaines perd son autonomie et est rattaché à la cellule diplomatique. Enarque, diplomate de carrière, Bruno Joubert, qui n'a jamais été en poste sur le continent, mais en connaît bien les problématiques du fait de son long passage à la tête de la direction de la stratégie de la DGSE puis à celle de la direction d'Afrique du Quai d'Orsay, prend le titre de conseiller diplomatique adjoint aux côtés de Jean-David Levitte, le sherpa du Président. Le profil de ce haut fonctionnaire légaliste l'inscrit aux antipodes des Jacques Foccard, Fernand Wibaux, Guy Penne, Michel Dupuch. Comme Michel de Bonnecorse, Bruno Joubert se voit doter d'une équipe légère de deux personnes [55]. Mais les similitudes s'arrêtent là. Intégrées à la cellule diplomatique avec laquelle cette équipe travaille en étroite symbiose, les questions africaines sont, en principe, désormais traitées comme n'importe quelle question diplomatique à la Présidence.

Le moins remarqué est l'arrivée rue Monsieur de Jean-Marie Bockel. Cette nomination a moins à voir avec l'Afrique qu'avec les vicissitudes de la vie politique française. Jean-Marie Bockel est en effet un homme politique socialiste. Cet ancien

---

54. Peut-être l'exécutif français en laissant l'un des siens dire tout haut ce que beaucoup pensent tout bas (« *notre pays n'est pas un paillasson sur lequel un dirigeant, terroriste ou non, peut venir s'essuyer les pieds du sang de ses forfaits. La France ne doit pas recevoir ce baiser de la mort* ») a-t-il souhaité montrer à l'opinion publique ce que le tapis rouge déroulé pour le chef d'État libyen recouvrait de non-dits.

55. Il s'agit de Rémi Maréchaux, diplomate swahiliphone passé par Bangui, Washington et le cabinet de Pierre-André Wiltzer rue Monsieur, et Romain Serman, énarque au profil plus généraliste, précédemment en poste à la représentation permanente auprès de l'ONU à New York où il avait en charge les questions africaines.

benjamin de l'Assemblée nationale (où il a été élu la première fois dès 1981 à trente ans à peine), ministre dans le gouvernement dirigé par Laurent Fabius, milite sans succès au PS pour une rénovation blairiste. Avec Bernard Kouchner, Fadela Amara, Jean-Pierre Jouyet et Eric Besson, il fait partie des « ministres d'ouverture » du gouvernement Fillon. Une fois encore, est nommé au ministère de la Coopération un néophyte. Cela ne l'empêche pas de prendre son travail au sérieux. Certes, Jean-Marie Bockel est d'abord soucieux de lancer son mouvement Gauche moderne et de lui trouver une place à la gauche de la majorité présidentielle. La gestion de Mulhouse, la ville dont il est le maire depuis 1989, lui prend d'autant plus de temps que sa réélection en mars 2008 n'est pas jouée d'avance. Pour autant, son agenda politique chargé ne l'empêche pas de se consacrer à son ministère. Son cabinet, dont un des membres est Joseph Zimet[56], est convaincu de la pertinence du discours de Cotonou à la rédaction duquel il a collaboré. Il se désespère du retard pris par la rupture annoncée. Dans une interview à l'hebdomadaire *Jeune Afrique*, Jean-Marie Bockel fait déjà l'aveu de son impuissance : « *Depuis ma prise de fonctions, je tente de maintenir un équilibre entre notre volonté réformatrice, qui est notre feuille de route, et la réalité* »[57]. Le 15 janvier 2008, dans ses vœux à la presse, il franchit le Rubicon : « *La rupture annoncée à Cotonou tarde à venir (…) Je veux signer l'acte de décès de la Françafrique (…) Je veux tourner la page de pratiques d'un autre temps, d'un mode de relations ambigu et complaisant, dont certains, ici comme là-bas, tirent avantage, au détriment de l'intérêt général et du développement* »[58]. Ces propos entraînent la réaction immédiate des autorités gabonaises dont le Conseil des ministres, dès le lendemain, dénonce « un cliché méprisant faisant des États africains de vulgaires mendiants sollicitant sans fin l'aumône de la France ».

---

56. Chargé de mission à l'Agence française de développement, Joseph Zimet n'a jamais caché ses affinités socialistes. Il a travaillé dans l'équipe de Dominique Strauss-Kahn. Il est le mari de Rama Yade.

57. « Jean-Marie Bockel : « Le président, l'ouverture, l'Afrique et moi », *Jeune Afrique*, 5 août 2007.

58. Voir l'entretien qu'il donne au *Monde* le 16 janvier 2008 intitulé : « Jean-Marie Bockel : 'Je veux signer l'acte de décès de la 'Françafrique' ' ».

2.2 « Retour à la case Foccart ? »[59]

Ces signaux encourageants sont vite contredits par d'autres[60]. Autour de Nicolas Sarkozy semble se rejouer la passe d'armes qui se déroula déjà en 1981 autour de François Mitterrand, en 1995 autour de Jacques Chirac. En 2007, on assiste à nouveau à la bataille des « anciens » et des « modernes » (Cf. *supra* pp. 43 et 58) qui oppose les derniers grognards de la Françafrique aux tenants d'une normalisation de la relation franco-africaine. On vient de voir les facteurs qui pouvaient laisser espérer que le nouveau président français choisisse le camp des « modernes ». Il en est d'autres qui peuvent laisser redouter qu'il ne bascule dans celui des « anciens »[61].

D'une part, l'entourage du nouveau président compte beaucoup d'« anciens ». L'ex-maire de Neuilly entretient des liens de longue date avec Charles Pasqua auquel il a succédé à la présidence du conseil général des Hauts-de-Seine en 2004. Ce dernier lui a d'ailleurs présenté Claude Guéant, un énarque, membre du corps préfectoral que Charles Pasqua avait remarqué lorsqu'il était secrétaire général de la préfecture des Hauts-de-Seine et qu'il avait appelé à ses côtés place Beauvau en 1993 avant d'en faire le directeur général de la police nationale. À la tête du plus riche département de France, Charles Pasqua a créé une société d'économie mixte chargée de coopération décentralisée, la SEM Coopération 92, dont le fonctionnement opaque a suscité bien des critiques[62]. Charles Pasqua a par ailleurs été mis en cause dans de nombreuses affaires liées à l'Afrique : Elf, Angolagate... Nicolas Sarkozy est également resté proche de Patrick Balkany qui fait partie de la délégation officielle de son premier voyage en Afrique en juillet 2007, très actif en Guinée équatoriale hier[63] et en Centrafrique aujourd'hui[64].

---

59. C'est le titre de l'article par lequel *Jeune Afrique* a rendu compte du voyage de Alain Joyandet au Gabon (n° 2467, 20-26 avril 2008). C'est aussi le sous-titre du livre que, treize ans plus tôt, les associations *Agir ici* et *Survie* ont consacré à « Jacques Chirac et la Françafrique ».
60. Philippe Bernard, « La politique africaine de Nicolas Sarkozy tarde à rompre avec une certaine opacité », *Le Monde*, 25 mars 2009, p. 6.
61. Jean-François Bayart, « L'hypo-politique africaine d'un hyperprésident », *Savoir/Agir*, n° 5, septembre 2008, pp. 161-169.
62. Promise par Nicolas Sarkozy, la dissolution de la SEM Coopération 92 est réalisée en avril 2008 par le nouveau président du Conseil général des Hauts-de-Seine, Patrick Devedjian.
63. Stephen Smith & Antoine Glaser, *Ces messieurs Afrique 2*, op. cité, p. 225.
64. « La balkanysation de l'Afrique », Bakchich.info, 29 octobre 2007 (accessible à http://www.bakchich.info/article 4391.html).

Mais la personnalité de l'entourage présidentiel dont l'influence semble de plus en plus envahissante est sans conteste **Robert Bourgi** [65]. Fils d'un grand commerçant libanais installé à Dakar [66], « Bob » a rédigé une thèse d'État sur « le général de Gaulle et l'Afrique noire (1940-1969) ». À Abidjan, il ouvre l'une des premières succursales africaines du Club 89, un groupe de réflexion du RPR créé par Jacques Toubon et Michel Aurillac dont il rejoint le cabinet, rue Monsieur, en 1986. Devenu avocat en 1993, Me Bourgi travaille avec Jacques Foccart et Fernand Wibaux à l'Elysée en 1995. Il joue le rôle d'homme de confiance, d'avocat, d'entremetteur avec les Chefs d'État gabonais, congolais et équato-guinéen, Bongo – qu'il appelle « Papa » –, Sassou, Obiang... Sa fidélité à Jacques Chirac – pour lequel il ferrailla dur contre Edouard Balladur auquel Nicolas Sarkozy était alors rallié – ne l'empêche pas de trouver sa place dans l'entourage du nouveau président. Le 16 mai 2007, il est à l'Elysée pour l'investiture. Le 27 septembre 2007, il reçoit les insignes de chevalier de la Légion d'honneur des mains du Président qui, à cette occasion, rend un hommage appuyé à Jacques Foccart [67] : « Sur le terrain de l'efficacité et de la discrétion, tu as eu le meilleur des professeurs ». Jean-Marie Bockel, lui, n'a pas été invité.

D'autre part, Nicolas Sarkozy entretient quelques accointances avec les amis africains de Jacques Chirac : Denis Sassou Nguesso, Amadou Toumani Touré et surtout **Omar Bongo**. Le candidat Sarkozy ne manque pas d'aller saluer le président gabonais dans sa suite de l'hôtel Meurice lors de ses passages à Paris. Claude Guéant, qui après avoir été son directeur de cabinet place Beauvau et à Bercy, est devenu entre temps son directeur de campagne, fait l'interface. Interrogé sur ses relations avec Nicolas Sarkozy, le président gabonais répond : « on est amis (…) Je crois que le fondement même de la Françafrique restera, quitte à l'améliorer » [68]. Le soir du 6 mai 2007, avant même l'annonce officielle des résultats de l'élection présidentielle française, Omar Bongo est le premier chef d'État étranger à féliciter Nicolas Sarkozy. Il exige d'être le premier chef d'État africain à lui rendre visite ; mais les « modernes » de l'Elysée – Jean-David Levitte, David Martinon – ont raison

---

65. Philippe Bernard, « Robert Bourgi, l'héritier des secrets de la Françafrique », *Le Monde*, 26 mars 2009, p. 6.
66. Stephen Smith & Antoine Glaser, *Ces messieurs Afrique 2*, op. cité, pp. 40-44.
67. François Soudan « Quand Sarkozy réhabilite Foccart », *Jeune Afrique*, n° 2439, 7-13 octobre 2007.
68. « Bongo critique Royal et Sarkozy », *Le Nouvel Observateur*, 19 février 2007.

de son insistance et réussissent à convaincre la présidente libérienne, Ellen Johnson Sirleaf, en escale à Paris entre Washington et Monrovia, qui n'en demandait pas tant, de faire un détour par l'Elysée pour brûler la politesse à Omar Bongo reçu vingt-quatre heures plus tard seulement. Il ne se déclare pas vaincu et fait des pieds et des mains pour que le premier voyage africain du Président français passe par son pays. La « cellule diplomatique » propose d'autres étapes qui symboliseraient le cours nouveau de la relation franco-africaine : le Ghana, qui exerce la présidence de l'Union africaine, la République démocratique du Congo, l'Afrique du Sud. Mais Nicolas Sarkozy choisira d'aller au Sénégal et au Gabon. En juin 2009, il est le seul chef d'État occidental à assister aux funérailles du « doyen » à Libreville.

2.2.1 Le discours de Dakar

Le 26 juillet 2007, dans l'amphithéâtre de l'université Cheikh Anta Diop de Dakar, le Président de la République s'adresse aux jeunes d'Afrique[69]. Ce discours, rédigé dans le style volontiers lyrique du conseiller spécial de l'Elysée, Henri Guaino, a suscité des critiques sévères, en France comme en Afrique.

Rarement propos présidentiel aura fait couler autant d'encre. Les articles de presse se sont multipliés auxquels ont succédé, quelques mois plus tard, les ouvrages de librairie[70]. Altermondialiste, féministe, anticolonialiste, l'ancienne ministre malienne de la Culture Aminata Traoré a écrit en janvier 2008 chez Fayard un brûlot intitulé *L'Afrique humiliée*. Fin février 2008, un collectif d'une vingtaine d'intellectuels africains publie sous le titre « L'Afrique répond à Sarkozy. Contre le discours de Dakar » une réponse à « l'insulte » qu'ils estiment avoir subie[71]. En

69. Yves Gounin, « De la Françafrique à l'Eurafrique. Les débats nés du discours de Nicolas Sarkozy à Dakar », *Question internationales*, n° 33, sept.-oct. 2008. Le discours du Président est accessible sur le site Internet de l'Elysée : http://www.elysee.fr/elysee/elysee.fr/francais/interventions/2007/juillet/allocution_a_l_universite_de_dakar.79184.html.

70. Dominique Mataillet, « Tintin à Dakar », *Jeune Afrique*, n° 2476, 22-28 juin 2008, p. 97.

71. Cet ouvrage a fait l'objet d'une critique très négative dans *Le Monde* qui lui reproche « plutôt que de développer des ripostes constructives et des analyses opérationnelles, [d'offrir] un étalage souvent atterrant d'absurdités, d'approximations et de conformisme intellectuel » (Philippe Bernard, « Des intellectuels africains en colère », 29 février 2008). Proposé pour le prix du meilleur essai décerné lors de la remise des 3es Trophées afro-caribéens de septembre 2008, ce livre aurait été retiré de la liste des nominés sous la pression de la chaîne publique France 2, au grand dam du Conseil représentatif des associations noires (Cran) dont le porte-parole a crié à la censure.

juin 2008, Jean-Pierre Chrétien, Pierre Boilley, Achille Mbembe et Ibrahima Thioub éditent chez Karthala « L'Afrique de Sarkozy – Un déni d'histoire » qui constitue à ce jour la réponse la plus argumentée au discours de Dakar. En octobre 2008, l'historienne et ancienne Première Dame du Mali, Adama Ba Konaré, dirige un ouvrage collectif ironiquement intitulé « Petit précis de remise à niveau sur l'histoire africaine à l'usage du Président Sarkozy » (La Découverte) dans lequel est battu en brèche le mythe de l'anhistoricité de l'Afrique. Mais ce feu nourri de critiques ne fera pas taire Henri Guaino qui, pour le premier anniversaire du discours de Dakar, publie dans *Le Monde* une réponse sous forme de tribune dans laquelle il reproche à ses contempteurs de l'avoir mal lu[72].

Les critiques adressées au discours de Dakar peuvent être rassemblées en deux principales catégories.

La première concerne l'absence de toute repentance pour les fautes commises à l'époque coloniale. Ce silence était prévisible, le candidat Sarkozy ayant clamé haut et fort qu'il fallait cesser de rougir de l'Histoire de France. A Lyon, en pleine campagne présidentielle, le 5 avril 2007, il s'exprimait en ces termes :

> « *Nous avons eu le tort de trop laisser dénigrer la France, son histoire et son identité. Je déteste cette mode de la repentance qui exprime la détestation de la France et de son Histoire. Je déteste la repentance qui veut nous interdire d'être fiers de notre pays. (…)*
>
> *Je suis de ceux qui pensent que la France n'a pas à rougir de son histoire. Je voudrais rappeler à tous ses détracteurs que la France n'a pas commis de génocide. Elle n'a pas inventé la solution finale. La France a inventé les droits de l'Homme et est le pays au monde qui s'est le plus battu pour la liberté du monde. Voilà ce qu'est l'histoire de la France !(…)*
>
> *Je veux dire, en allant plus loin parce que je le pense au fond de mon cœur, que dans les colonies, tous les colons français n'étaient pas des exploiteurs. Qu'il y avait parmi eux de braves gens, des gens courageux, qui avaient travaillé dur toute leur vie, qui n'avaient jamais exploité personne, qui ne devaient rien qu'à eux-mêmes, qui avaient beaucoup donné à une terre où ils étaient nés et qui un jour n'ont eu le choix qu'entre la valise et le cercueil. Ces Français ont tout perdu.* »

---

72. Henri Guaino, « L'homme africain et l'histoire », *Le Monde*, 27-28 juillet 2008.

© Damien Glez pour *Politique africaine*, octobre 2007

À Dakar, quatre mois plus tard, le propos n'a pas changé, même si son discours débute sur une reconnaissance explicite des crimes commis durant la colonisation : « *Je ne suis pas venu nier les fautes ni les crimes ; car il y a eu des fautes et il y a eu des crimes (...) Le colonisateur est venu, il a pris, il s'est servi, il a exploité, il a pillé des ressources, des richesses qui ne lui appartenaient pas.* ». Rares sont ceux qui ont souligné ce point : « aucun Président français n'aura été aussi explicite dans sa critique de la traite et de la colonisation » écrit la rédaction de *Politique africaine*, en mettant en regard la pusillanimité des propos tenus par Jacques Chirac à Madagascar en 2005 avec la franchise des « regrets » exprimés par Nicolas Sarkozy à Dakar[73]. La plupart ne se satisfont pour autant pas de ce discours. Une phrase en particulier aura provoqué bien des polémiques : « Nul ne peut demander aux fils de se repentir des fautes de leurs pères ». Jean-François Bayart tourne en dérision cet « adage que devraient méditer nos amis allemands, ces pauvres imbéciles qui se croient engagés par les turpitudes de leurs parents nazis »[74]. Achille Mbembe met justement le doigt sur la faille du raisonnement présidentiel : on ne peut, dit-il, reconnaître une faute sans en assumer la responsabilité[75].

La seconde et principale critique adressée au discours de Dakar est l'arrogance des propos du Président français : Aminata Traoré évoque la « gifle » reçue par le continent noir[76], Achille Mbembe parle lui de « viol »[77].

La quasi-totalité des commentateurs dénonce le discours culturaliste, voire essentialiste, qu'un Président plein d'arrogance de l'ancienne puissance colonisatrice ne se serait jamais permis ailleurs qu'en Afrique. Le Président et sa plume auraient repris, presque mot à mot, des passages du chapitre consacré par Hegel à l'Afrique dans *La raison dans l'histoire* :

> « *Le drame de l'Afrique, c'est que l'homme africain n'est pas assez entré dans l'histoire. Le paysan africain, qui depuis des millénaires, vit avec les saisons, dont l'idéal de vie est d'être*

73. « Le mépris souverain », *Politique africaine*, n° 107, octobre 2007, accessible en ligne à http://www.politique-africaine.com/numeros/pdf/107004.pdf.
74. « Y'a pas rupture, patron ! », *Le Messager* (Yaoundé), 8 août 2007.
75. « France-Afrique : ces sottises qui divisent », *Africultures*, 9 août 2007.
76. Aminata Traoré, *L'Afrique humiliée*, Fayard, 2008, p. 25.
77. Achille Mbembe : « L'Afrique de Nicolas Sarkozy : Le viol souvent commence par le langage », *Le Messager* (Douala), 1er août 2007.

en harmonie avec la nature, ne connaît que l'éternel recommencement du temps rythmé par la répétition sans fin des mêmes gestes et des mêmes paroles.

Dans cet imaginaire où tout recommence toujours, il n'y a de place ni pour l'aventure humaine, ni pour l'idée de progrès. Dans cet univers où la nature commande tout, l'homme échappe à l'angoisse de l'histoire qui tenaille l'homme moderne mais l'homme reste immobile au milieu d'un ordre immuable où tout semble être écrit d'avance. Jamais l'homme ne s'élance vers l'avenir. Jamais il ne lui vient à l'idée de sortir de la répétition pour s'inventer un destin.

Le problème de l'Afrique et permettez à un ami de l'Afrique de le dire, il est là. Le défi de l'Afrique, c'est d'entrer davantage dans l'histoire. »

Les commentateurs ont critiqué ces propos réducteurs puisés dans les fonds les moins reluisants de l'ethnologie coloniale du XIXᵉ siècle (Levy Brühl, Léo Frobenius, Placide Tempels). Ils ont invoqué les résultats de cinquante ans de recherches en sciences humaines qui montrent, au contraire, l'historicité des sociétés africaines[78]. Achille Mbembe a souligné le paradoxe, voire l'insulte, à tenir un discours aussi rétrograde dans une des universités les plus prestigieuses du continent africain[79]. Dans la tribune précitée du *Monde*, Henri Guaino s'est défendu contre l'accusation d'avoir plagié Hegel. Surtout, il se défend d'avoir été mal lu : le reproche fait aux Africains n'est pas dit-il de n'être pas entrés dans l'Histoire mais de ne pas y être *assez* entrés.

La polémique ne s'éteindra pas avant longtemps et Ségolène Royal – qui rappelle souvent qu'elle est née dans la capitale sénégalaise – aura beau jeu de la relancer en venant à Dakar en avril 2009 demander au nom de la France « pardon » pour ce discours[80].

---

78. Avant l'ouvrage dirigé par Adama Ba Konaré évoqué *supra*, le travail le plus emblématique était l'ouvrage collectif dirigé par Gérard Prunier et Jean-Pierre Chrétien publié en 1989 chez Karthala *Les ethnies ont une histoire*.

79. Achille Mbembe, *op. cit.*

80. « Quelqu'un est venu ici vous dire que "l'Homme africain n'est pas entré dans l'Histoire". Pardon, pardon pour ces paroles humiliantes et qui n'auraient jamais dû être prononcées et – je vous le dis en confidence – qui n'engagent ni la France, ni les Français ».

2.2.2 L'Elysée à la manœuvre

Le discours de Dakar constitue-t-il un « faux pas »[81] imputable à l'excès de confiance que Nicolas Sarkozy a placé dans son « nègre »[82] Henri Guaino ? ou traduit-il le fond de la pensée présidentielle à l'égard de l'Afrique ? Sans doute le discours de Dakar porte-t-il la marque du bouillonnant conseiller spécial. Mais il n'en demeure pas moins un texte qui a été préparé en étroite concertation avec la cellule diplomatique et que le Chef de l'État, en le prononçant, a repris à son compte. Le renier reviendrait à jeter le discrédit sur la parole élyséenne dont le poids et la portée varieraient selon l'identité de son inspirateur. Aussi, aucune voix officielle ne s'est aventurée à abjurer le discours de Dakar, même si la défense qui en a été faite devant les micros des journalistes constitue parfois un exercice de haute voltige[83].

Pour autant, Nicolas Sarkozy et ses conseillers ont perçu le tollé provoqué par le discours de Dakar et cherchent à y répondre. Sans le renier ouvertement, ils tentent d'en corriger l'image à l'occasion du troisième[84] voyage du Président en Afrique subsaharienne. Organisé en Afrique du Sud[85], ce voyage doit donner de la relation franco-africaine une image différente de celle présentée sept mois plus tôt à Dakar et à Libreville. Nicolas Sarkozy est accompagné par sa nouvelle épouse, Carla Bruni. Une visite à Nelson Mandela est organisée grâce aux bons offices d'Omar Bongo.

---

81. Philippe Bernard, « Le faux pas africain de Sarkozy », *Le Monde*, 23 août 2007.

82. A l'occasion de la célébration de la journée du tirailleur sénégalais, le 17 septembre 2008 à Dakar, le président sénégalais Abdoulaye Wade, qui avait été reçu à l'Elysée deux semaines plus tôt a déclaré : « Nicolas Sarkozy – on se connaît chaque jour un peu mieux – est un ami de l'Afrique (…) Mais il arrive qu'un président soit victime – passez-moi l'expression – de son nègre » (AFP, 17 septembre 2008).

83. Interrogé le 5 août 2007 par *Jeune Afrique*, Jean-Marie Bockel répond que c'est « un bon discours » qui comporte « de très beaux passages ». La tâche d'Alain Joyandet est plus aisée qui, lorsqu'il est interrogé sur le sujet, peut esquiver en invoquant le discours du Cap qui constitue désormais sa seule « ligne de conduite » (« Retour à la case Foccart ? », art. cité, p. 37).

84. Nicolas Sarkozy a fait, dans la journée du dimanche 4 novembre 2007, un rapide aller-retour à Ndjamena pour en ramener les hôtesses de l'air espagnoles et les journalistes français incarcérés dans le cadre de l'affaire de l'Arche de Zoé (voir *infra* p. 157).

85. Mais une escale au Tchad où Idriss Déby vient de réussir, de justesse, avec l'aide des forces françaises, à repousser une nouvelle attaque de la rébellion, fut rajoutée au dernier moment.

Une photographie immortalise la poignée de main échangée avec le prix Nobel de la paix. Le discours prononcé devant le parlement sud-africain au Cap n'a pas été écrit par Henri Guaino, et le résultat s'en ressent. Le Président est sobre au lieu d'être lyrique ; il n'affiche plus ostensiblement un « respect » de pure façade ; il s'interdit les généralités hasardeuses et leur préfère des propositions concrètes (sur la renégociation des accords de défense, le lancement d'une initiative de soutien à la croissance économique, la rénovation des sommets France-Afrique...).

Pour autant, on se tromperait en interprétant le discours du Cap du 28 février 2008 comme le reniement du discours de Dakar et la victoire définitive des « modernes » sur les « anciens ».

S'il en était besoin, l'éviction de Jean-Marie Bockel de la rue Monsieur au lendemain des élections municipales en administrerait la preuve. Sans doute le maire de Mulhouse a-t-il été réélu de justesse en Alsace le 16 mars 2008. Sa défaite n'aurait pas manqué d'entraîner sa chute (même si Rama Yade, battue à Colombes conserve son poste) ; mais sa victoire, aussi étriquée soit-elle, aurait dû lui garantir son poste. Il n'en a rien été. Son éviction, Jean-Marie Bockel la doit aux présidents gabonais, congolais et camerounais. Ils ont manifesté avec plus ou moins d'insistance au président français leur désaccord avec les propos tenus par le secrétaire d'État le 15 janvier [86]. Robert Bourgi se fait fort d'avoir été leur porte-parole auprès de l'Elysée : « Bockel n'a rien compris à l'Afrique. Il fallait s'en débarrasser. J'ai transmis des messages en ce sens. Nicolas Sarkozy les a entendus » a-t-il affirmé à l'hebdomadaire *Le Point* dans un article qui a fait grincer bien des dents [87]. Si l'influence que se prête « Bob » est sujette à caution [88], celle en revanche de Bernard Kouchner, qui ne s'entendait pas avec son secrétaire d'État, et plus encore de Claude Guéant est probablement déterminante dans la chute de Jean-Marie Bockel. Quoi qu'il en soit, les commentateurs n'ont pas manqué d'ironiser, en France comme en Afrique, sur ce remaniement décidé depuis Libreville [89].

86. Elise Colette, « Jean-Marie Bockel. La Françafrique m'a tué », *Jeune Afrique,* n° 2463, 23-29 mars 2008, p. 12.

87. Hervé Gattegno, « L'homme qui a tué Bockel », *Le Point,* 27 mars 2008.

88. « Dire que c'est Bourgi qui a eu la tête de Bockel à cause de ses propos sur la Françafrique relève de la grave désinformation. Franchement, qui peut croire qu'un homme comme Bourgi ait autant d'influence sur le Président » affirme une source anonyme du site d'information en ligne bakchich.info le 11 avril 2008 (http://www.bakchich.info/article 3239.html).

89. Richard Trois, « Quand le Gabon remanie le gouvernement français », *InfoPlus Gabon,* 21 mars 2008.

La mainmise de **Claude Guéant** sur les dossiers africains est peut-être le phénomène le plus important à prendre en compte[90]. La disparition de la « cellule africaine » ne signifie pas pour autant la normalisation de la politique africaine. Aujourd'hui comme hier, elle se décide à l'Elysée, Matignon, le Quai d'Orsay, la rue Monsieur étant réduit au rôle d'exécutants. L'omnipotence élyséenne n'a pas été remise en cause. La seule différence avec les présidences antérieures est que le centre de pouvoir a changé *à l'intérieur* de l'Elysée. Hier, les affaires africaines étaient gérées par un « Monsieur Afrique » qui constituait l'intermédiaire obligé entre les présidents africains et français. Aujourd'hui ce rôle est assumé par le secrétaire général de la présidence de la République qui, comme Jacques Foccart en son temps, a la haute main à la fois sur les questions africaines et les questions de renseignement[91]. Les pouvoirs très étendus que Claude Guéant exerce dans ces deux domaines mais aussi dans tous ceux qui incombent normalement au secrétaire général de l'Elysée font de lui l'un des hommes les plus puissants de la République[92], un « vice-président »[93] ou un « vice-roi »[94] selon les commentateurs.

Au lendemain du départ de Jean-Marie Bockel, la nomination de Alain Joyandet au secrétariat d'État à la Coopération ne risque pas de remettre en cause les pouvoirs de Claude Guéant. Fidèle sarkozyste, le maire de Vesoul ne connaît de l'Afrique que la Côte d'Ivoire où sa ville a un jumelage. Robert Bourgi a annoncé son intention de lui servir de mentor : « Il ne connaît pas l'Afrique, mais nous allons l'initier »[95]. Le nouveau secrétaire d'État semble avoir rapidement compris les erreurs de son prédécesseur. Sitôt nommé au gouvernement, il effectue son premier voyage en Afrique à Libreville chez Omar Bongo. Il y est cornaqué par Claude Guéant. Il est des images révélatrices : celles diffusées par Canal plus où l'on voit le secrétaire général de l'Elysée précéder le nouveau secrétaire d'État dans

---

90. « Claude Guéant, l'ombre de Foccart à l'Elysée ? », *La Lettre du continent*, n° 550, 16 octobre 2008.

91. Sous réserve des pouvoirs réels du coordonnateur national du renseignement nommé à l'Elysée en juillet 2008.

92. Christian Duplan & Bernard Pellegrin, *Claude Guéant : l'homme qui murmure à l'oreille de Sarkozy*, Éditions du Rocher, 2008.

93. Hervé Gattegno & Sylvie-Pierre Brossolette, « Claude Guéant : l'homme le plus puissant de France », *Le Point*, 20 septembre 2007.

94. Carole Barjon, « Guéant, le vice-roi », *Le Nouvel Observateur*, 6 septembre 2007.

95. Hervé Gattegno, « L'homme qui a tué Bockel », op. cité.

le bureau du président gabonais témoignent avec clarté de l'ordre réel de pré-séance au sein de l'État français.

● RÉSUMÉ

L'évolution récente de la politique africaine de la France est placée sous le signe des espoirs déçus. Après la fin crépusculaire du deuxième septennat de François Mitterand, on attendait de « Chirac l'Africain » qu'il fasse de l'Afrique une priorité. Mais douze ans plus tard le bilan est mitigé d'une politique qui navigue à vue entre normalisation et maintien de liens privilégiés. L'arrivée au pouvoir de Nicolas Sarkozy laisse espérer la fin de la Françafrique. Mais le discours de Dakar du 26 juillet 2007 crée un malaise.

UN DISPOSITIF COMPLIQUÉ
EN DÉPIT DES RÉFORMES

La Coopération – abréviée « Coopé » ou « Coop' » – fut longtemps un ministère situé rue Monsieur à Paris dont on a vu qu'il avait hérité en 1960 du soin de gérer les relations de la France avec ses anciennes colonies africaines. Plus largement la Coopération désigne la politique menée par les pays industrialisés en faveur des pays en développement. Passé dans l'usage courant, le terme ne relève pas pour autant de l'évidence : parler de « coopération » revient à postuler l'existence d'une relation symétrique et négociée entre les donneurs et les bénéficiaires de l'aide qui, dans les faits, n'a pas toujours existé[1]. Le vocabulaire anglo-saxon n'a pas cet angélisme qui n'utilise guère le terme de *cooperation* et lui préfère celui d'*aid* ou d'*assistance*[2].

Il serait erroné de réduire la relation franco-africaine à la Coopération. D'une part, de nombreuses facettes de cette relation ne relèvent pas *stricto sensu* de la coopération. D'autre part, la Coopération englobe des pays situés hors d'Afrique. Tout en gardant ces deux points à l'esprit, l'étude de la Coopération reste indissociable de celle de la relation franco-africaine. Cette coopération comporte deux volets nettement distincts : un volet civil (1) et un volet militaire (2). On pourrait croire qu'il

---

1. La littérature sur la question est pléthorique. Le court ouvrage de Jean-Jacques Gabas, *Nord-Sud. L'impossible coopération*, Presses de Sciences-Po, 2002 (voir notre compte rendu dans *Politique étrangère*, 4/2002, pp. 1079-1080) constitue une introduction intelligente.
2. En revanche, l'allemand, plus proche du français, utilise le joli mot de *Zusammenarbeit* que l'on peut traduire par « travail en commun ».

s'agit de deux déclinaisons d'une même politique. L'analyse des dispositifs civils et militaires et de leurs évolutions montre de façon surprenante, voire inquiétante, qu'il n'en est rien. Tout se passe comme si ces deux volets de la Coopération vivaient chacun leur vie propre. Si la coopération militaire évolue en 1998, c'est moins la conséquence de la réforme de la coopération que de la professionnalisation des armées. La reprise des interventions militaires directes en 2002 ou la renégociation des accords de défense annoncée par le Président français en février 2008 sont indépendantes des évolutions de la coopération civile.

1   L'INTÉGRATION DE LA COOPÉRATION DANS UN DISPOSITIF ÉCLATÉ

Le gouvernement Jospin a mis en œuvre la réforme longtemps repoussée de la Coopération. Il s'agit de normaliser la relation franco-africaine en supprimant la rue Monsieur dont l'existence, quarante ans après les indépendances, ne se justifie plus. Il s'agit aussi de remédier à l'éclatement des structures en charge de la coopération et de renforcer la coordination ministérielle pour améliorer l'efficacité de l'aide (1.1). La modification du dispositif institutionnel n'est pas tout. C'est peut-être faute d'avoir pris en compte les facteurs humains que la réforme de la coopération a un goût d'inachevé (1.2).

1.1   Des institutions...

La réforme institutionnelle engagée en 1998, relancée en 2004, vise à simplifier le paysage institutionnel. La Direction générale de la coopération internationale et du développement (DGCID), qui est créée au Quai d'Orsay, a vocation à piloter l'aide française, l'Agence française de développement (AFD) d'en être « l'opérateur pivot » (1.1.1). Cette réforme n'a pas atteint son objectif : si l'intégration des services de la rue Monsieur au Quai d'Orsay garantit une plus grande complémentarité entre l'action diplomatique et la politique de coopération, la réforme ne modifie guère le rapport de forces avec le ministère de l'économie et des finances et avec l'AFD qui gardent la haute main sur le budget de la coopération (1.1.2).

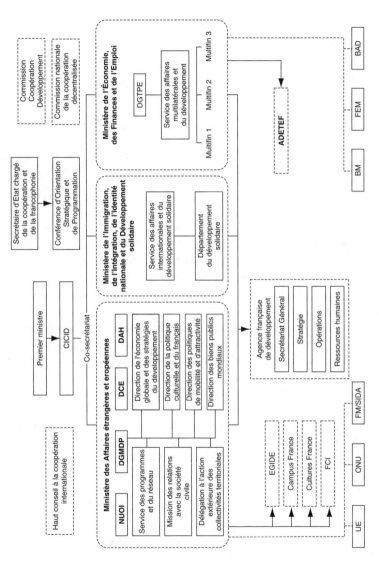

Organisation institutionnelle de la coopération

1.1.1 *Une réorganisation institutionnelle inachevée*

Il serait simpliste de dire qu'avant 1998, l'Afrique avait, rue Monsieur, son ministère et que la réforme le lui a fait perdre. Certes, le ministère de la coopération constituait un ministère de plein exercice – ce qu'il cessa d'être après 1998 – avec son budget et ses agents [3]. Sa puissance s'incarnait dans les 31 missions d'aide et de coopération (MAC) qui, en Afrique même, distribuaient les subventions du Fonds d'aide et de coopération (FAC), héritier du Fides (Cf. *supra* p. 26). Au ministère de la coopération la responsabilité des pays dits « du champ » c'est-à-dire des anciennes colonies françaises d'Afrique subsaharienne auxquels furent progressivement ajoutées les anciennes colonies belges (en 1964), espagnole (en 1980) et portugaises (en 1976 et 1985) ainsi que quelques pays caribéens (Haïti, Sainte-Lucie, Dominique) et asiatique (Cambodge).

Mais la rue Monsieur n'avait pas le monopole des relations avec l'Afrique. Les relations politiques avec le continent africain étaient de la responsabilité du Quai d'Orsay via sa direction des affaires africaines et malgaches (DAM) et, plus encore, de l'Elysée. Le Quai d'Orsay avait par ailleurs la charge des relations de coopération avec les pays dits « hors champ » via sa direction générale des relations culturelles, scientifiques et techniques (DGRCST).

Quant aux relations économiques et financières avec l'Afrique, elles étaient principalement de la compétence du ministère de l'économie et des finances et de la Caisse française de développement. Le premier avait en charge la coopération monétaire avec les pays de la zone franc, le dialogue avec les institutions de Bretton Woods (FMI, Banque mondiale) où la « chaise » française est occupée par un fonctionnaire des Finances, et surtout la gestion des prêts accordés aux pays en développement. Avec la crise financière des années 80, la direction du Trésor est devenue un des acteurs majeurs de la politique africaine du fait de son rôle dans les opérations de consolidation et de remise de dette : les ministres africains de passage à Paris doublent le passage obligé par la rue Monsieur d'un crochet par

---

3. Dans la thèse qu'il consacre à l'histoire de la coopération, Julien Meimon a toutefois raison de montrer que l'absence de création d'un corps d'agents spécialisés dans le développement a été pour beaucoup dans la faible légitimité du ministère de la coopération dont les agents furent majoritairement des contractuels ou des fonctionnaires détachés au statut précaire (En *quête de légitimité. Le ministère de la Coopération (1959-1999)*, thèse de science politique, Université Lille-II, 2005).

Bercy. La Caisse française de développement, quant à elle, est à la fois un établissement public qui accorde des prêts bonifiés aux pays en développement africains ou non (prêts dits « de premier guichet ») et une banque qui intervient dans les conditions de marché (prêts dits « de second guichet »).

La principale réforme annoncée lors du Conseil des ministres du 4 février 1998 est la disparition du ministère de la Coopération. Si la fonction de ministre délégué – ou de secrétaire d'État – est conservée dans les murs chargés d'histoire de la rue Monsieur[4], les administrations fusionnent, à Paris comme en Afrique, le budget est unifié et les statuts des personnels sont harmonisés.

L'intégration de la Coopération aux Affaires étrangères se traduit d'abord par la création au Quai d'Orsay d'une nouvelle direction, la direction générale de la coopération internationale et du développement (DGCID) qui résulte de la fusion de la direction du développement de la rue Monsieur et de la DGRCST du Quai. Ce schéma a été préféré à celui consistant à créer deux directions : une direction du développement et une direction des relations culturelles. L'avantage attendu est la création de nouvelles synergies entre tous les métiers de la coopération. Le risque assumé est d'accoucher d'une « usine à gaz »[5]. Pour pallier ce risque, l'organigramme de la DGCID superpose aux quatre directions sectorielles (coopération culturelle, coopération scientifique et universitaire, audiovisuel extérieur et coopération technique) deux services transversaux chargés le premier de la coordination géographique – l'idée étant d'offrir aux ambassades un interlocuteur unique à Paris disposant d'une vision d'ensemble de tous les secteurs de la coopération dans un même pays – le second de la programmation et de l'évaluation.

En Afrique, les toutes-puissantes missions d'aide et de coopération (MAC) sont transformées en services de coopération et d'action culturelle (Scac) placées sous l'autorité directe de l'ambassadeur dont l'autorité sort renforcée de la réforme. Les chefs de MAC, jusqu'alors nommés en conseils des ministres, sont remplacés par des conseillers de coopération et d'action culturelle (Cocac) désignés par simple arrêté du ministre des affaires étrangères.

---

4. Début 2009, la rue Monsieur est abandonnée et les services de l'ancienne Coop' s'installent dans le 15e arrondissement dans les locaux de l'ancienne Imprimerie nationale.
5. Sénat, 30 octobre 2001, rapport d'information n° 46 sur la réforme de la coopération fait au nom de la commission des Affaires étrangères, de la défense et des forces armées par M. Guy Penne, Mme Paulette Brisepierre et M. André Dulait, p. 18.

1.1.2 *L'AFD à la barre[6], la DGCID ringardisée*

La réforme de 1998 a banalisé la place de l'Afrique dans l'action diplomatique de la France. Mais elle n'a guère réduit la complexité institutionnelle du dispositif français de coopération. Le clivage entre Bercy et la Coop' qui existait déjà avant la réforme vient au premier plan et tourne au bénéfice du ministère de l'Economie et des Finances.

Comme l'ont montré les rapports successifs du Comité d'aide au développement (CAD) de l'OCDE[7], le dispositif français est encore trop complexe. Certes, la dernière réforme de 2004 est censée avoir augmenté son efficacité[8]. La coordination interministérielle a été renforcée avec la désignation du ministre chargé de la coopération comme « chef de file » pour l'aide au développement. Les leçons ont été tirées des lourdeurs du Cicid[9] qui, sans être supprimé, est suppléé par une conférence d'orientation stratégique et de programmation (Cosp) qui, sous la présidence du ministre chargé de la coopération, établit une programmation des ressources, valide les documents cadres de partenariat[10] et procède à une revue des

6.   L'expression est empruntée à Julien Meimon, « Que reste-t-il de la coopération française ? », *Politique africaine*, n° 105, mars 2007, p. 44.
7.   Le comité d'aide au développement (CAD) de l'OCDE procède, tous les quatre ou cinq ans, à l'examen des politiques de développement menées par ses 23 membres. Le pays examiné établit un mémorandum exposant les principales évolutions intervenes dans sa politique et ses programmes. Il est étudié par le secrétariat de l'OCDE et par les représentants de deux pays membres du CAD désignés comme « examinateurs ». Pour la France, le plus récent a été réalisé en mai 2008, avec le Royaume-Uni et la Suède comme examinateurs.
8.   Mémorandum de la France sur ses politiques et programmes en matière d'aide publique au développement, 2008 (http://www.diplomatie.gouv.fr/fr/IMG/pdf/Memorandum_France_2008_v_1.5_mission_a_Paris.pdf).
9.   Crée par le décret n° 98-66 du 4 février 1998, le Comité interministériel de la coopération internationale et du développement (Cicid) est censé coordonner la politique d'aide au développement. Il est présidé par le Premier ministre et associe tous les ministres concernés par les questions de développement. Son secrétariat permanent est co-assuré par la DGCID et par la direction générale du trésor et de la politique économique (DGTPE) du ministère de l'économie et des finances. Il s'est réuni huit fois seulement depuis sa création.
10.   Les documents cadres de partenariat (DCP) sont établis pour chaque pays de la Zone de solidarité prioritaire (ZSP). Ils définissent une stratégie à cinq ans dans le pays concerné. Ils précisent les secteurs de concentration de l'aide qui sont limités à trois pour éviter son émiettement. Ils sont préparés localement, sous l'autorité de l'ambassadeur, et cosignés par les autorités locales, ce qui est censé garantir leur appropriation par les destinataires de l'aide. Ils comportent une programmation quinquennale indicative des actions par secteur, ce qui améliore la prévisibilité de l'aide. L'examen du CAD a toutefois montré que, sur ces trois dimensions (concentration de l'aide, appropriation, prévisibilité), des progrès restent à faire (OCDE, op. cité, p. 64).

opérations en cours. Enfin la mise en œuvre de la loi organique relative aux lois de finances (Lolf) a permis une plus grande lisibilité de la politique de coopération. Désormais, l'essentiel des crédits de l'aide publique est rassemblé dans une « mission » interministérielle spécifique, la mission « aide publique au développement[11], et un document de politique transversale intitulé « politique française de développement » accompagne la loi de finances et liste la quasi-totalité des programmes d'aide publique.

Pour autant le système institutionnel demeure complexe. Un de ses principaux défauts est qu'aucun des acteurs du développement n'est exclusivement dédié à l'aide au développement[12] :

– la DGCID a une compétence universelle qui dépasse les pays éligibles à l'APD et qui s'étend à des domaines très divers : l'audiovisuel, la coopération éducative, la recherche scientifique, l'aide au développement proprement dite ;

– la DGTPE est une puissante baronnie du ministère de l'économie et des finances, née fin 2004 de la fusion de trois directions (Direction du trésor, Direction des relations économiques extérieures, Direction de la prévision et de l'analyse économique) qui traite de questions économiques et financières, nationales et internationales, bilatérales et multilatérales ;

– l'Agence française de développement (AFD), présentée comme l'opérateur-pivot du développement, a une présence forte dans l'outre-mer français et concède des prêts non concessionnels qui ne relèvent pas de l'aide publique au développement ;

---

11. Cette mission comporte trois programmes :
 – le programme 209 « solidarité à l'égard des pays en développement » placé sous la responsabilité du DGCID (doté de 2 086 Meuros en crédits de paiements dans la loi de finances 2009),
 – le programme 110 « aide économique et financière au développement » géré par le DGTPE (1 042 Meuros),
 – le programme 301 « développement solidaire et migrations » créé en 2008 qui relève du ministre de l'immigration, de l'intégration, de l'identité nationale et du développement solidaire (24 Meuros).
12. OCDE, *Examen de l'aide française par les pairs du Comité d'aide au développement*, 2008, p. 53.

– le ministère de l'immigration, de l'intégration, de l'identité nationale et du développement solidaire [13] est un nouveau venu dans le dispositif français d'aide au développement qui se voit désormais confier le co-secrétariat du Cicid et dont une partie du budget relève de la mission « aide publique au développement » de la Lolf.

Le principal point de friction concerne la place de l'AFD.

La répartition des rôles devrait pourtant être aisée : au ministère des affaires étrangères l'orientation de la politique d'aide au développement, à l'AFD, sa mise en œuvre. En théorie, la seconde est assujettie au premier. Établissement public doté de la personnalité morale et de l'autonomie budgétaire, l'AFD signe une convention-cadre avec l'État et des contrats d'objectifs assortis d'indicateurs de suivi. La convention-cadre précise notamment les conditions d'exercice de l'autorité de l'ambassadeur sur l'agence locale de l'AFD : avis de conformité sur les documents de stratégie de l'agence, accord sur la nomination du directeur local, avis obligatoire sur les projets de l'agence.

Mais dans la pratique, les tensions qui caractérisent les relations de l'AFD avec la DGCID rejaillissent sur l'ambiance, exécrable, des Cicid qui se sont tenus depuis 2002. Forte de l'autonomie que lui laisse une co-tutelle mollement exercée par les ministères des affaires étrangères et de l'économie et des finances, l'AFD met en avant son professionnalisme et son indépendance. Dans le combat des « anciens » contre les « modernes », l'agence souhaite résolument s'inscrire du côté des modernes en intervenant avec « moins d'affect et davantage un regard d'économistes et de scientifiques » [14]. Son dynamisme a réussi à ringardiser la DGCID qui a souffert

---

13. Ce ministère, initialement dirigé par Brice Hortefeux, un proche de Nicolas Sarkozy, est, à l'origine en charge du « co-développement ». Née à gauche et adoptée à droite, cette notion appelle à une plus forte implication des communautés émigrées en France dans le développement de leurs compatriotes restés en Afrique. En élargissant ses compétences au « développement solidaire » en mars 2008, Brice Hortefeux se voit confier, outre le co-développement *stricto sensu*, la gestion des projets de développement à l'étranger qui participent à une meilleur maîtrise des flux migratoires. Ces projets sont inscrits dans des accords bilatéraux de gestion concertée des flux migratoires signés avec les principaux pays à l'origine des flux d'immigration : Sénégal (septembre 2006), Gabon (juillet 2007), Congo-Brazzaville (octobre 2007), Bénin (novembre 2007), Tunisie (avril 2008), Maurice (septembre 2008), Cap-Vert (novembre 2008), Burkina Faso (janvier 2009) et Cameroun (mai 2009).

14. Jean-Michel Séverino, « Vent nouveau sur la coopération française », *Les Échos*, 22 janvier 2007.

des gels budgétaires et de l'hémorragie de ses éléments les plus brillants… recrutés par l'AFD [15] !

Le « banquier du développement »

La place grandissante de l'AFD dans le dispositif français doit beaucoup à la personnalité de son directeur général. Jean-Michel Sévérino est inspecteur des finances. Sa carrière s'est construite avec une grande cohérence autour des questions de développement. Il y a une trentaine d'années, on trouvait encore dans les grands corps de l'État monopolisés par les élèves les mieux classés de l'ENA (Conseil d'État, Inspection des finances, Cour des comptes) quelques hauts fonctionnaires faisant carrière autour des questions africaines : Pierre Moussa à l'Inspection des finances, Michel Aurillac, Alain Plantey et Daniel Pépy au Conseil d'État, Pierre Bas et Jean-Pierre Hadengue à la Cour des Comptes. Aujourd'hui, Jean-Michel Sévérino fait figure de cas unique.

Quatre ans après sa sortie de l'ENA, il rejoint en 1988 la rue Monsieur dès que la possibilité lui est donnée de quitter l'inspection générale des finances. À 37 ans seulement, il prend la tête de la direction du développement du Ministère de la Coopération, ce qui fait de lui l'un des plus jeunes directeurs d'administration centrale jamais nommés. Deux ans plus tard il va à la Banque mondiale dont il devient le vice-président. À son retour à Paris, en 2001, il est directeur général de l'Agence française du développement où, malgré sa sensibilité d'homme de gauche, les gouvernements de droite le confirment dans ses fonctions. L'envergure de Jean-Michel Sévérino tient aussi au fait que, face à lui, tant au Quai d'Orsay qu'à Bercy, aucun haut fonctionnaire de sa stature n'a émergé dans le domaine de la coopération. Il est caractéristique de relever que les cinq directeurs généraux qui se sont succédés en l'espace de dix années à la tête de la DGCID – et qui étaient tous des diplomates chevronnés – n'avaient qu'une expérience limitée de l'Afrique (François Nicoullaud (déc. 1998), Bruno Delaye [15] (juil. 2000), Claude Blanchemaison (juil. 2003), Philippe Etienne (nov. 2004), Anne Gazeau-Secret (juin 2007-mai 2009)).

Les derniers arbitrages rendus par le Cicid en juillet 2004, mai 2005 et juin 2006 ont été favorables à l'AFD et ont contribué à la marginalisation de la DGCID – remplacée début 2009 par une direction générale de la mondialisation, du développement et des partenariats (DGMDP) aux missions recentrées sur la réflexion stratégique et le contrôle de la mise en œuvre des politiques de développement –

---

15. Ainsi Jean-Marc Chataigner et Frédéric Bontems, administrateurs civils au ministère de la coopération, respectivement sortis de l'ENA en 1990 et en 1991, se succèdent à la tête du service de la prospective de l'AFD.

16. Ambassadeur au Togo en 1991, conseiller à la « cellule africaine » de l'Elysée en 1992, Bruno Delaye est, dans cette liste, le seul à avoir travaillé en Afrique.

et des Scac. Déjà en 1998, les compétences de l'AFD avaient été étendues aux infrastructures de santé et d'éducation – ce qui n'allait pas sans poser des problèmes de coordination entre l'AFD, chargée de construire des hôpitaux, et les Scac, impliqués dans la formation des médecins et la définition des politiques publiques de santé. En 2004, la délimitation des compétences bouge à nouveau au profit de l'AFD qui se voit confier l'agriculture, toute la santé, l'éducation de base, la formation professionnelle... La DGCID et les Scac ne conservent guère que la gouvernance, l'enseignement supérieur et la coopération culturelle.

L'AFD semble avoir toutes les cartes en main pour devenir la grande agence du développement que tous les acteurs semblent appeler de leurs vœux : Parlement[17], CAD de l'OCDE[18], Cour des comptes[19]. Il ne serait pas illogique qu'elle se voit confier l'ensemble des projets d'aide au développement, leur pilotage étant assuré par le ministère des affaires étrangères à condition que l'exercice de la tutelle de l'AFD soit renforcé. Une telle institutionnalisation reviendrait à légitimer, sous une forme modernisée, une structure administrative en charge de la coopération qui fut toute son existence durant en quête de légitimité. Mais subsisterait une différence de taille entre l'ancien et le moderne : l'Afrique qui était hier l'objet exclusif de l'attention de la rue Monsieur n'est aujourd'hui rue Roland Barthes, au siège de l'AFD, qu'un partenaire parmi d'autres.

1.2 ... et des hommes

La réussite d'une politique de coopération dépend moins d'un organigramme, aussi ingénieux soit-il, que des hommes et des femmes chargés de la mettre en œuvre. La réforme de 1998, en fusionnant la rue Monsieur et le Quai d'Orsay, vise à rapprocher, à Paris comme en Afrique, les agents de ces deux ministères aux cultures trop éloignées. Ce métissage des métiers ne va pas de soi (1.2.1). Par ailleurs, l'assistance technique, qui est un dispositif original, sans équivalent chez les autres bailleurs de fonds, est remise en cause (1.2.2).

---

17. La création d'une « grande agence du développement » est une des recommandations du rapport du Sénat de 2001 sur la réforme de la coopération (Sénat, op. cité, p. 24 sq.).
18. L'examen 2008 du CAD par les pairs recommande « le renforcement du rôle de l'AFD en tant qu'opérateur pivot » (op. cité, p. 55).
19. La Cour des comptes estime que l'AFD devrait se voir confier la responsabilité de la mise en œuvre de l'aide publique au développement et devenir opérateur au sens de la Lolf (Cour des comptes, rapport sur l'exécution des lois de finances en vue du règlement du budget de l'exercice 2004, p. 73).

1.2.1 *Le difficile brassage des cultures diplomatique et de coopération*

La fusion/absorption de la Coopération repose sur un pari ambitieux. Elle suppose que les cultures diplomatique et de coopération fusionnent.

Techniquement, la fusion est compliquée par l'extrême diversité juridique des statuts des personnels de la coopération. Ce ministère s'est constitué en 1960 avec des personnels aux profils très différents. Les administrateurs de la France d'outre-mer en ont longtemps constitué l'élite ; mais ces fonctionnaires n'ont jamais été remplacés par un corps d'agents spécialisés dans le développement dont la création a constitué, pendant plus de trente ans, un serpent de mer de tous les rapports consacrés à la Coopération. Faute de filières institutionnalisées de recrutement, le ministère a dû recourir à des fonctionnaires détachés ou à des contractuels. Leur intégration au Quai ne s'est pas faite sans mal, certains optant pour la titularisation, d'autres préférant garder un statut de contractuel.

L'évolution du dispositif institutionnel a marginalisé les cadres de la Coop'. Dans la nouvelle administration fusionnée, les agents de la rue Monsieur ne sont pas accueillis à bras ouverts par les diplomates, un brin condescendants à leur égard. Julien Meimon rapporte les propos d'un fonctionnaire anonyme du ministère de la coopération : « *On était regardés comme les magouilleurs, c'était le Carrefour du développement, le SDECE, les coups d'État, les barbouzes, les parties de jambes en l'air de Nucci...* » [20]. Un autre ajoute : « *On ne fait pas les mêmes métiers, la diplomatie ce n'est pas le développement (...) Et puis la culture du Quai d'Orsay n'est pas la nôtre* » [21].

Les directions « historiques » du Quai d'Orsay demeurent la chasse gardée des diplomates [22] et, dans les directions directement concernées par la réforme, les « coopérants » peinent à trouver place. La DGCID – dont la direction de la coopération technique est pourtant constituée à 80 % d'agents venant de la rue Monsieur – est dirigée par un diplomate. Les deux premiers directeurs de la coopération

---

20. Julien Meimon, En *quête de légitimité,* op. cité, p. 480.
21. Idem, p. 354.
22. 93 agents de catégorie A du ministère de la coopération sont affectés à la DGCID, 36 à la DGA et 12 seulement dans d'autres directions de l'administration centrale (Sénat, op. cité, pp. 21-22).

technique sont des anciens de la Coop' (Pierre Jacquemot en 1999-2000 puis Mireille Guigaz en 2000-2004) ; mais les directeurs généraux de la DGCID et les autres directeurs ne le sont pas. La Direction de la coopération militaire et de défense (DCMD) est confiée à un officier général (cf. *infra* 2.1.1). Paradoxalement, c'est à la Direction générale de l'administration (DGA) – qui est, il est vrai, une affectation peu valorisée par les diplomates de carrière – que les anciens de la rue Monsieur sont le mieux accueillis. Les directeurs généraux de l'administration ne sont jamais eux-mêmes issus de la rue Monsieur[23] ; mais certains postes de directeurs (notamment aux affaires financières[24] et à l'équipement[25]) sont confiés à d'anciens administrateurs civils.

La disparition des MAC a fait perdre aux agents de la Coop' des responsabilités sans commune mesure avec celles qui sont confiées aux nouveaux Cocac, placés sous l'autorité sourcilleuse de l'ambassadeur. Rares sont les anciens de la Coop' qui se voient confier une ambassade. En 2000, on en compte quatre : au Kenya, au Bénin, à Djibouti et en Lettonie. Au 1er août 2009, parmi les quarante ambassadeurs français affectés en Afrique, sept seulement viennent de la rue Monsieur[26]. Ce n'est

---

23. On note toutefois que ces directeurs généraux ont souvent une expérience des métiers de la coopération : Philippe Zeller a été chef de MAC aux Seychelles et directeur à la DGRCST, Stéphane Romatet (2008-) a été conseiller de coopération à Dakar.

24. Jean-François Desmazières est parmi les tout premiers administrateurs civils de la rue Monsieur recrutés à la sortie de l'ENA en 1979. Directeur des affaires budgétaires et financières de 2003 à 2007, il est aujourd'hui ambassadeur au Cambodge. Il a été remplacé en 2007 par Philippe Autié qui était également administrateur civil à la Coop' depuis sa sortie de l'ENA en 1982

25. Deux anciens administrateurs civils de la coopération, eux aussi passés par l'ENA, ont dirigé le service de l'équipement – qui, au sein de la DGA, gère la construction et la maintenance des bâtiments relevant du ministère : Patrick Roussel (2003-2006), qui a été ambassadeur en Haïti et à Djibouti, et depuis 2008 Jean-Marie Bruno, ancien ambassadeur au Suriname.

26. Jean-Marc Chataigner (Madagascar) et Michel Reveyrand (Mali) sont deux anciens élèves de l'ENA qui ont choisi la rue Monsieur à la fin de leur scolarité et qui y ont fait carrière avant d'être intégrés aux corps de la diplomatie en application des mesures d'assimilation de 1998/99. Luc Hallade (Comores), Gérard Larome (Liberia) et Pierre Jacquemot (République démocratique du Congo) ont fait une large partie de leur carrière au ministère de la coopération avant d'être nommés administrateurs civils au tour extérieur puis d'intégrer le Quai d'Orsay. Docteur en géographie tropicale, Guy Serieys (Guinée équatoriale) a fait toute sa carrière à la coopération sans jamais y être titularisé, à l'instar d'un grand nombre d'agents de la rue Monsieur au statut administratif précaire. René Forceville (Ouganda) est un cas à part puisqu'il a opté pour le Quai d'Orsay à sa sortie de l'ENA en 1978 mais a effectué toute sa carrière à la Coop'.

pas leur faire injure que de constater que les postes qu'ils occupent ne comptent pas parmi les plus recherchés.

Portraits croisés de deux « Africains » de la Coop' et du Quai

Né en 1946, diplômé de l'IEP Paris, Pierre Jacquemot effectue son service national à Dakar en 1970-1971 comme directeur adjoint des études de l'ENA de Dakar. Il a ensuite enseigné l'économie à l'université d'Alger en qualité d'assistant technique. Sa thèse en poche, il devient professeur d'économie à Paris-Dauphine. En 1981, il travaille rue Monsieur en contact avec l'équipe de Jean-Pierre Cot dont le rapprochent ses sympathies rocardiennes. Il repart en 1984 au Sénégal comme conseiller économique du président Abdou Diouf. Remarqué rue Monsieur, il se voit confier la direction des MAC de Ouagadougou puis de Yaoundé. En 1995, après l'élection de Jacques Chirac, il hésite à changer de voie. Intégré administrateur civil au tour extérieur, il opte pour le ministère de la culture. Mais la dissolution de 1997 le rattrape et Charles Josselin l'appelle à son cabinet rue Monsieur. Il joue un rôle essentiel dans le « groupe informel » à l'origine de la réforme de la coopération de 1998, avec Jean-Maurice Ripert et Georges Serre. Il est le dernier directeur du développement de la rue Monsieur et le premier directeur du développement et de la coopération technique de la DGCID qui vient d'être créée. Titularisé en qualité de ministre plénipotentiaire au Quai d'Orsay, il fait partie des rares hauts fonctionnaires de la rue Monsieur à être nommé ambassadeur : d'abord au Kenya en 2000, au Ghana en 2005 et en République démocratique du Congo en 2008.

La carrière de Jean-Didier Roisin est plus linéaire, plus caractéristique aussi de celle des diplomates du Quai d'Orsay.

Egalement né en 1946 et diplômé de l'IEP Paris, Jean-Didier Roisin était à l'origine plus attiré par l'Asie que par l'Afrique. Il avait appris l'indonésien à Langues O et, à sa sortie de l'ENA, a choisi l'ambassade de France de Djakarta en 1973. Mais, après treize années à Paris, à la direction d'Asie, à l'Inspection, au Protocole, c'est en Afrique, au Mali, qu'il obtient son premier poste d'ambassadeur en 1991. Trois ans plus tard, il est nommé à Madagascar. En 1996, ce diplomate, marqué à droite, devient directeur des affaires africaines et malgaches. Il préside ensuite le conseil de surveillance de l'Agence française de développement avant d'être affecté au Sénégal en 2003. Son ambassade à Dakar se passe mal. Le président Wade qui n'apprécie guère son intransigeance finit par obtenir son rappel en 2005. Jean-Didier Roisin est nommé à Berne et croit en avoir fini avec l'Afrique. Mais à l'été 2008, c'est à ce diplomate peu enclin au compromis que l'Elysée fait contre toute attente appel pour représenter la France au Gabon, un poste où pourtant il faut savoir s'accommoder de l'existence des réseaux et des lobbies (Cf. *infra* chapitre 5).

1.2.2 *Les assistants techniques : un dispositif original remis en cause*

Les assistants techniques constituent une spécificité de la coopération française, sans équivalent chez les autres bailleurs de fonds. Il s'agit de personnels mis à disposition des États africains par la France qui prend en charge leurs salaires. Il en existe diverses formes. À l'origine, il s'agit de fournir aux États africains nouvellement indépendants l'expertise humaine qui leur fait encore défaut. On a vu que la mise en œuvre de cette politique de substitution a eu comme conséquence étonnante que les coopérants français en Afrique étaient plus nombreux après les indépendances que les administrateurs coloniaux avant (Cf. *supra* p. 23). Cette forme d'assistance technique a rapidement décru, notamment dans l'enseignement secondaire et supérieur, avec l'aguerrissement des cadres administratifs africains. Parallèlement, une assistance technique de conseil s'est développée, caractérisée par l'envoi de conseillers français auprès des directeurs, des ministres voire des Chefs d'État africains. Enfin, la France a chargé des assistants techniques de suivre des projets précis mis en œuvre par des administrations africaines mais financés ou co-financés par elle.

L'assistance technique a été critiquée. On lui a reproché d'avoir déresponsabilisé les élites administratives africaines et d'avoir retardé leur éclosion. On a critiqué la France pour avoir recours quasi-exclusivement à une assistance technique d'origine française là où d'autres bailleurs de fonds recrutent des assistants originaires du pays [27]. On a mis en cause le néo-colonialisme latent qui consiste à cornaquer un dirigeant africain d'un « conseiller blanc » [28]. On a pointé du doigt les dérives du système, certains assistants techniques considérant parfois leurs fonctions comme une rente de situation à pérenniser par tous les moyens [29].

---

27. Cette pratique, courante à l'USAID (coopération américaine), à la DfID (coopération britannique) et à la Banque mondiale, présente elle aussi son revers : les hautes rémunérations que ces bailleur proposent aux agents locaux qu'ils recrutent provoquent le départ des administrations nationales de ses meilleurs éléments.

28. Bizarrement, on entend plus souvent ce reproche au Nord qu'au Sud, les Africains comme leurs dirigeants s'accommodant fort bien de la présence de ces « conseillers du Prince » qui constituent une ressource humaine gratuite, indifférente aux querelles d'entourage et la plupart du temps travailleuse.

29. François de Négroni, *Les colonies de vacances. Portrait du coopérant français dans le Tiers Monde*, Editions Hallier, 1977.

Ces critiques ont eu comme conséquence une réduction considérable du nombre d'assistants techniques. Après avoir culminé à plus de 20 000 au début des années 1980, les effectifs de l'assistance technique décroissent rapidement : ils sont 3 600 en 1995, 1 900 en 2000, environ 1 200 aujourd'hui[30]. Cette décrue a été plus rapide encore en Afrique subsaharienne – où les effectifs ont été divisés par six entre 1990 et 2004 – que dans le reste du monde où ils n'ont été divisés que par trois sur cette période[31]. Au point que la survie même de l'assistance technique est menacée.

De nombreux facteurs plaident pourtant en faveur de cette modalité particulière de coopération[32]. En premier lieu, à la différence des missions d'expertise courte, l'assistance technique résidentielle permet une meilleure connaissance des réalités du terrain. Elle représente un gage d'efficacité dans la mise en œuvre des projets de développement. D'ailleurs, les autres bailleurs de fonds, qui ne disposent pas de ces relais-là, n'hésitent pas à prendre langue avec les assistants français présents sur le terrain pour s'assurer de la bonne utilisation de leurs fonds. Enfin, la présence des assistants français constitue un vecteur de l'influence française. Un dernier facteur doit être pris en compte : dans la carrière d'un « développementaliste », l'expérience de l'assistance technique est souvent déterminante[33]. C'est là que se forgent les vocations ; c'est au contact, parfois douloureux, avec les réalités africaines que le futur responsable, à Paris ou en ambassade, apprend à éviter les chausse-trappes du dogmatisme ou de la naïveté.

L'assistance technique doit s'adapter au nouveau contexte. C'est le sens des réformes initiées ces dernières années sur la base de plusieurs rapports[34]. Tous

---

30. Mémorandum de la France sur ses politiques et programmes en matière d'aide publique au développement, 2008, p. 45.
31. Edouard Wattez & Christian Connan, « La rénovation de l'assistance technique : un défi français », Rapport au Cicid, octobre 2004, p. 13.
32. Voir en particulier le plaidoyer vibrant du Sénat pour « la sauvegarde indispensable de l'assistance technique » (rapport cité, p. 53 sq.)
33. Un nombre très important d'agents de la rue Monsieur ont commencé leur carrière, dans les années 60 ou 70, par un poste d'assistant technique en Afrique, souvent dans le cadre de leur service national.
34. Rapport Nemo sur les appuis en personnel dans les actions de coopération (mars 2000), rapport Saint-Lager sur les moyens et méthode de mobilisation de l'expertise française publique et privée dans les actions de coopération internationale et de développement (décembre 2001), rapport Boucher sur la mobilisation de l'expertise publique sur les actions de coopération institutionnelle internationale (juillet 2003), rapport Wattiez/Connan précité (octobre 2004), rapport Cailleteau sur les modalités d'externalisation de la gestion des assistants techniques (mars 2005).

soulignent la nécessaire souplesse d'une assistance technique dont les formalités de mise en œuvre semblent encore trop rigides. L'assistance technique doit être plus flexible, plus réactive. À côté de l'assistance résidentielle de longue durée, l'expertise de courte et moyenne durée doit être développée, notamment pour répondre aux appels d'offres lancés par les institutions de Bretton Woods ou la Communauté européenne. Pour relever ces défis, un groupement d'intérêt public, France coopération internationale (FCI), a été créé en 2002, dont les modalités de fonctionnement sont plus souples que celles d'une administration. À terme, FCI devrait se voir confier la gestion des assistants techniques pour le compte des différents opérateurs de la politique du développement.

2   LA FRANCE FACE AUX CRISES AFRICAINES : UN « GENDARME » EN MUTATION

Longtemps l'Armée a joué un rôle crucial dans la relation franco-africaine. Explorateur, conquérant, administrateur, bâtisseur puis « gendarme », le soldat français en Afrique a endossé bien des uniformes au cours du siècle dernier. Il semble flotter un peu dans celui qu'on lui fait porter aujourd'hui. Si le format en a changé, l'organisation du dispositif militaire français en Afrique n'a pas évolué depuis quarante ans : des bases permanentes, des accords de défense, une coopération militaire qui forme des Africains en France et place des conseillers français dans les états-majors africains. Le tout dominé par une arme, les troupes de marine, dont l'esprit de corps sans faille s'est forgé depuis plus d'un siècle au contact des réalités africaines et qui continue d'influencer considérablement la politique de sécurité menée par la France en Afrique.

Pour autant – et c'est là une différence avec la coopération civile plus rétive aux changements – l'armée évolue vite. La fraternité d'armes promue par les troupes de marine est mise à mal. Les accords de défense sont en cours de renégociation ; les bases permanentes ferment les unes après les autres (2.1). Rompant avec la politique de la canonnière sans pour autant s'interdire d'intervenir lorsque ses intérêts sont en jeu, la France désormais n'agit plus seule. Elle s'appuie sur les organisations africaines, continentale (Union africaine) ou régionales (UEMOA, CEEAC, SADC…) et inscrit de plus en plus son action dans un cadre européen (2.2).

2.1 La fin d'une époque

Le discours du Cap du 28 février 2008 et le Livre Blanc de juin 2008 annoncent une réforme importante du dispositif militaire français en Afrique. Le Président a annoncé la renégociation des accords de défense qui unissent la plupart des anciennes colonies à la France depuis 1960. Les bases prépositionnées, qui constituent une originalité du dispositif français en Afrique, seront redimensionnées et pour certaines fermées (2.1.2).

Ces annonces ont été largement commentées. Mais il est une évolution plus discrète mais non moins importante dont on ne parle guère. Il s'agit de la culture d'armes des troupes de marine qui a inspiré, pendant plus d'un siècle, la politique militaire française. Cette influence est aujourd'hui remise en cause (2.1.1).

2.1.1 *Une culture d'armes mise à mal*

Les militaires ont tout naturellement joué un rôle déterminant dans la conquête de l'Afrique. Mais leur rôle ne s'est pas arrêté à la création des colonies. Ils ont activement participé à leur consolidation administrative, sanitaire et économique. Dans les « marches » tout juste pacifiées, les militaires ont longtemps cumulé la responsabilité du maintien de l'ordre et de l'administration. Cette pratique dura tout au long du XIXe siècle dans l'Afrique occidentale et jusque dans les années 1930 dans certaines parties de l'Afrique équatoriale.

Parmi les militaires ayant vocation à servir outre-mer, une place particulière doit être faite aux troupes de marine (TDM). Créées sous Richelieu pour protéger les transports maritimes, rattachées en 1900 à l'armée de terre et rebaptisées « troupes coloniales », elles retrouvent leur dénomination originelle avec la décolonisation. Au sein de l'armée de terre, elles constituent une arme à part entière, à l'instar de l'infanterie, de l'artillerie ou de la cavalerie ce qui montre la spécificité et la nécessaire interdisciplinarité du service outre-mer, particulièrement en Afrique. « Arme de tous les héroïsmes et de toutes les abnégations » selon l'expression de Lyautey, elle fut longtemps l'enfant chérie des états-majors – dont nombre de chefs en furent issus[35] –

---

35. Les fonctions de chef d'état-major des armées (CEMA) peuvent être confiées à un officier général de l'armée de terre, de la marine ou de l'armée de l'air. Parmi les généraux de l'armée de terre ayant exercé ces fonctions durant les vingt dernières années, trois sur quatre sont issus des troupes de marine : Maurice Schmitt (1987-1991), Jean-Pierre Kelche (1998-2002), Henri Bentégeat (2002-2006).

mais aussi la mal aimée du pouvoir civil qui la suspectait d'abriter les « soldats perdus » de l'Indochine et de l'Algérie.

Le dispositif militaire français en Afrique est aujourd'hui comme hier largement dominé par ces « marsouins ». Ils constituent l'ossature des forces prépositionnées : 5e RIAOM [36] à Djibouti, 6e Bima [37] à Libreville, 23e Bima à Dakar, 43e Bima en Côte d'Ivoire. Les officiers généraux qui dirigent les forces françaises au Gabon (FFG), au Sénégal (FFCV) et à la Réunion (FAZSOI) sont eux aussi issus de cette arme [38]. Une proportion importante des officiers mis à disposition des états-majors africains dans le cadre de la coopération vient des Troupes de marine [39]. Ce sont des officiers issus de ses rangs qui se voient confier les missions d'attachés de défense dans les principales ambassades françaises d'Afrique [40] et qui, à Paris, sont en charge des questions africaines [41]. Il arrive même parfois que, une fois rayés des cadres de l'armée active, certains jeunes retraités des troupes de marine trouvent à s'employer auprès de Chefs d'État africains [42].

Aussi n'y a-t-il pas lieu de s'étonner que la culture des troupes de marine ait une grande influence sur la politique militaire française en Afrique. Cette culture

---

36. RIAOM : Régiment interarmes d'outre-mer.

37. Bima : Bataillon d'infanterie de marine.

38. En revanche, le commandant des forces françaises à Djibouti (FFDJ) est par tradition un officier général de l'armée de l'air.

39. À titre d'exemple, au 1er août 2009, parmi les douze personnels de l'armée de terre affectés au sein des forces armées sénégalaises, on compte huit marsouins.

40. Au 1er août 2009, les fonctions d'attachés de défense dans les ambassades de France au Sénégal, au Cameroun, au Gabon, en Côte d'Ivoire, au Congo, au Mali, au Tchad et à Madagascar – pour ne citer que celles-là – sont exercées par des colonels des troupes de marine.

41. L'adjoint Terre du chef d'état-major particulier du Président de la République, le conseiller Afrique (dénommé CM21 dans le jargon officiel) du chef du cabinet militaire du ministre de la défense, le conseiller Afrique du CEMA, etc.

42. Ainsi le général Jacques Norlain, après avoir commandé le 1er RPIMa de Bayonne et les Forces terrestres de Djibouti et avoir été attaché de défense à l'ambassade de France en Côte d'Ivoire, a travaillé deux ans et demi à la présidence de Côte d'Ivoire puis pendant six ans à celle du Gabon. L'exemple vient de haut : le général d'armée Jeannou Lacaze, ancien chef d'état-major des armées, a été le conseiller personnel de Mobutu en 1988 et le général d'armée Raymond Germanos conseille aujourd'hui le président camerounais Paul Biya.

revendique sa spécificité[43] : pour les marsouins, l'Afrique est un théâtre d'opérations particulier où les règles de la guerre qui prévalent en Europe doivent être adaptées. En particulier, les troupes de marine ont développé depuis Gallieni et Lyautey une doctrine dite de « pénétration pacifique » où la victoire militaire ne constitue pas une fin en soi :

> « *La tâche essentielle du soldat colonial n'est pas strictement guerrière ; elle n'est pas de vaincre militairement l'adversaire et d'occuper le sol ; la conquête ne doit être considérée que comme le prélude d'une œuvre beaucoup plus vaste et beaucoup plus riche, celle de la "pacification"* »[44].

Cet objectif éminemment politique suppose de la part des militaires une connaissance intime du milieu qu'ils ont pour tâche de « pacifier ». Avant leur affectation outre-mer, les marsouins reçoivent une formation académique à l'histoire, à la géographie, à l'ethnologie[45]. Mais, à côté de ce savoir, l'accent est mis sur le « savoir-être » indispensable à toute affectation africaine réussie. Les conseils donnés aux futurs marsouins[46] insistent sur la nécessité de se mêler aux populations locales,

---

43. Centre d'histoire de la défense, *Les Troupes de Marine dans l'Armée de terre : un siècle d'histoire (1900-2000)*, Éditions Lavauzelle, 2001.

44. Joseph Galliéni, instructions du 22 mai 1898 cité par Raoul Girardet, *La société militaire*, Perrin, 1998, p. 226.

45. Cet enseignement est depuis 2003 dispensé à l'EMSOME (École militaire de spécialisation de l'outre-mer et de l'étranger) à Rueil Malmaison. L'EMSOME a succédé au CMI-DOME (centre militaire d'information et de documentation sur l'outre-mer et l'étranger) installé à Versailles depuis 1966 dont la fonction était triple :
– former les militaires appelés à servir outre-mer,
– maintenir les liens culturels avec les armées nationales africaines à travers notamment la publication du bimestriel *Frère d'armes*,
– entretenir la culture d'armes des troupes de marine.
La transformation du CMIDOME en EMSOME participe de la banalisation de l'Afrique dans le dispositif militaire français : au centre de formation spécialisé pour les troupes de marine affectées en Afrique a succédé une école de l'armée de terre, interdisciplinaire, qui forme tous les militaires appelés à servir en opération extérieure (Opex), en Afrique mais pas seulement.

46. Voir par exemple le dossier consacré à la « spécificité du service outre-mer » dans la revue de liaison des troupes de marine *L'ancre d'or* : « Il nous faut accepter de sucer la graisse de chameau souvent mêlée de sable dans le désert, de mastiquer la tripe crue sous la tente, de partager les beignets de chenille, de manger la boule dans le plat commun, assis par terre (...) Surtout, il faut aimer cela, le faire avec naturel, sans arrière-pensée. Tout le secret du métier est là » (n° 308, janvier-février 1999, p. 38).

sur le respect indispensable dû à leurs coutumes. Ils pêchent néanmoins par une représentation souvent caricaturale de la supposée « mentalité » des Africains, figée dans des structures rurales et tribales. Ils portent aussi l'empreinte d'ailleurs revendiquée d'un passé colonial selon laquelle il conviendrait d'accepter avec bienveillance les manières d'être, aussi archaïques soient-elles, des populations locales afin d'en « gagner les cœurs et les esprits » [47].

Les troupes de marine ont joué un rôle central dans la formation et l'encadrement des soldats indigènes. Un de ses officiers, le lieutenant-colonel Charles Mangin – qui avait participé de 1897 à 1899 sous les ordres du capitaine Marchand à la Mission Congo-Nil et s'était heurté aux troupes britanniques de Kitchener à Fachoda – s'est fait l'ardent promoteur de la « Force noire », un immense réservoir de soldats dévoués, prêts à mourir pour l'Empire [48]. La Première guerre mondiale fut l'occasion de mettre en œuvre ses idées. 180 000 hommes d'Afrique occidentale et orientale furent enrôlés, parfois sous la contrainte [49] ; 134 000 furent envoyés en Europe ; 25 000 n'en revinrent pas [50]. La participation des forces indigènes à la défense de la France n'est pas le seul résultat attendu de la formation de ces troupes. Pour Mangin comme pour ses héritiers, il s'agissait aussi de

---

47. Niagalé Bagayoko-Pénone, *Afrique : les stratégies française et américaine*, L'Harmattan, 2004, p. 325 (nous avons rendu compte de cet ouvrage dans *Politique étrangère* 4/2004, hiver 2004-2005, pp. 876-877).

48. L'ouvrage de Antoine Champeaux et de Eric Deroo *La force noire : gloire et infortunes d'une légende coloniale* (Tallandier, 2006) et le remarquable documentaire qui en a été tiré par l'ECPAD pour le 150e anniversaire de la création du corps des tirailleurs sénégalais évitent le double écueil de la nostalgie coloniale – dont une grande partie de la littérature militaire sur la période est lestée – et de l'auto-flagellation. Pour une présentation synthétique de la Force noire, on lira la contribution de Eric Deroo « Mourir, l'appel à l'Empire (1913-1918) » à l'ouvrage collectif *Culture coloniale en France. De la révolution française à nos jours*, CNRS/Autrement, 2008, pp. 163-172 ou l'ouvrage de March Michel *Les Africains et la Grande Guerre. L'Appel à l'Afrique (1914-1918)*, Karthala, 2003.

49. Blaise Diagne, député du Sénégal au Palais-Bourbon depuis 1914, devient en 1917 commissaire général aux troupes noires avec rang de sous-secrétaire d'État aux colonies. De février à août 1918, de Dakar à Bamako, il essaie de convaincre ses compatriotes de venir se battre en France tout en leur promettant des médailles militaires, un certificat de bien manger, un habillement neuf et surtout la citoyenneté française aux combattants après la guerre. Il réussit à mobiliser 63 000 soldats en AOF et 14 000 en AEF. Mais la plupart de ces engagements ne seront pas tenus.

50. Chiffres de Eric Deroo, art. cité, p. 171.

former une élite africaine, attachée à la France, qui, le moment venu, pourrait prendre en main sa destinée.

Longtemps mise sous le boisseau, la mémoire des troupes indigènes a récemment refait surface [51]. Ce « retour de mémoire » participe du mouvement, plus général, de rejaillissement d'un passé colonial mal assumé (Cf. *infra* chapitre 4). Cette mémoire est tiraillée entre deux camps. D'un côté, est stigmatisé l'égoïsme de la France qui aurait utilisé les troupes indigènes comme de la « chair à canon » et aurait violé les promesses qu'elle avait faites lors de l'enrôlement des troupes. Son comportement à Thiaroye est rappelé : elle y a fait tirer en novembre 1944 sur des tirailleurs sénégalais démobilisés qui réclamaient le paiement des primes qui leur avaient été promises [52]. Son retard à « décristalliser » les pensions des anciens combattants d'Afrique est dénoncé [53]. De l'autre, l'accent est mis sur les épreuves partagées par les soldats et africains, dans les tranchées de Verdun ou sur les pentes de Monte Cassino. Cette épreuve, aussi traumatisante soit-elle, aurait été, pour nombre d'enrôlés africains, l'occasion de découvrir la France, ses habitants dont ils ne connaissaient jusqu'alors que ceux des colonies, d'apprendre une langue, le français, indispensable pour communiquer aussi bien entre eux qu'avec leurs cadres français, bref de se forger une identité. Cette position n'est pas seulement celle des troupes de marine

---

51. Christian Benoît, Antoine Champeaux, Eric Deroo « La culture post-coloniale au sein de l'armée et la mémoire des combattants d'outre-mer (1961-2006) », in *Culture coloniale en* France, op. cité, pp. 605-612.

52. Cet épisode dramatique, méconnu en France, a été popularisé par le cinéaste sénégalais Sembène Ousmane (1988).

53. En vertu de la loi du 26 décembre 1959, le taux des pensions versées aux anciens combattants variait selon leur nationalité, les pensions versées aux Français évoluant avec l'indice du coût de la vie, celles versées aux Africains étant « cristallisées » à leur niveau de 1959. Saisi par un ancien sergent-chef sénégalais engagé dans l'armée française entre 1937 et 1959, le Conseil d'État français estime toutefois en 2001 que cette loi viole les stipulations de la convention européenne des droits de l'homme. Le Gouvernement français réagit par une décristallisation partielle : les pensions versées aux anciens combattants français sont désormais calculées en fonction du coût de la vie dans chacun des pays concernés (Pierre Janin, « Tirailleurs "de brousse" en péril », *Politique africaine* n° 95, octobre 2004, pp. 147-156). Cette différence de traitement, juridiquement admissible – à nouveau saisi, le Conseil d'État valide le nouveau dispositif dans une décision du 18 juillet 2006 – est politiquement intenable. Ému, dit-on, par la projection du film *Indigènes* primé à Cannes, le Président de la République décide finalement d'aligner les pensions versées aux anciens combattants quelles que soient leur nationalité et leur résidence.

qui valorisent la « fraternité d'armes » ainsi forgée et entretiennent en France la mémoire des troupes indigènes[54]. Elle est aussi celle de certains Africains : par exemple le président Abdoulaye Wade a fait depuis 2004 du 23 août[55] une journée du souvenir des tirailleurs au Sénégal.

La prééminence de la culture des troupes de marine est toutefois remise en cause par trois facteurs.

Le premier est la professionnalisation des armées et ses conséquences sur le dispositif militaire français en Afrique. Constituées essentiellement de militaires de carrière, les troupes de marine perdent leur spécificité dans une armée profession-nelle. L'interdiction faite aux appelés d'être engagés sur des théâtres d'opérations extérieures (Opex) leur conférait un monopole qu'elles ont perdu. La généralisa-tion des « compagnies tournantes » privilégie la rotation rapide d'unités métropo-litaines sur la présence permanente de détachements spécialisés. Sans doute ce système réduit-il les coûts et la vulnérabilité induits par la présence des familles (les unités tournantes sont constituées de célibataires géographiques relevés tous les quatre mois) et permet-il à un plus grand nombre de militaires de s'aguerrir outre-mer. Mais, à en croire ses détracteurs[56], cette réforme ne permet plus que se forgent les relations de confiance avec la population locale qu'un séjour long per-mettait de nouer.

Le deuxième est la réduction de la coopération militaire. Elle était avant 1998 gérée par la Mission militaire de coopération de la rue Monsieur sur laquelle les

---

54. Depuis 1996, le 4e Rima est devenu le « gardien des traditions des troupes indigènes ». Il est basé à Fréjus, qui abrite le musée des troupes de marine, et où a été construit, en 1930, dans le camp Caïs, la mosquée Missiri sur le modèle de la mosquée de Djenné au Mali. Les motivations qui ont inspiré cette construction sont emblématiques du paternalisme qui prévaut alors dans l'armée : « *Donner au tirailleur noir l'illusion, la plus fidèle possible, de la matérialisation d'un cadre analogue à celui qu'il a quitté ; qu'il y retrouve, le soir, au cours de palabres interminables, les échos du "tam-tam" se répercutant contre les murs d'une construction familière, évocatrice de visions susceptibles d'adoucir la sensation d'isolement dont il est parfois atteint, le placer, en quelque sorte, dans une ambiance natale* ».

55. Le 23 août 1944, quelques jours après le débarquement de Provence, les soldats du 6e Régiment de Tirailleurs Sénégalais, emmenés par le colonel Salan, ont été les premiers à pénétrer dans Toulon.

56. Jacques Isnard, « Les troupes de marine contestent le dispositif militaire français en Afrique », *Le Monde*, 13 mars 1998.

troupes de marine avaient la haute main. Sa responsabilité incombe désormais à la direction de la coopération militaire et de défense (DCMD) du Quai d'Orsay, rattachée à la direction générale des affaires politiques et de sécurité, dont les quatre directeurs successifs n'ont jamais été des marsouins. Depuis une vingtaine d'années, le nombre de coopérants militaires affectés en Afrique ne cesse de décroître. Il était de 1 016 en 1985 [57] ; il n'est plus que de 584 en 1995 et de 254 en 2008 [58]. Cette décrue a les mêmes effets que celle de l'assistance technique civile (Cf. *supra* 1.2.2.) : une expertise sur l'Afrique qui disparaît, une influence de la France dans les états-majors qui se réduit [59]. Symétriquement, le nombre de stagiaires africains formés dans les écoles militaires françaises est réduit des deux tiers. Il avait atteint un pic de 2 200 en 1987 [60] ; il n'est plus que de 751 en 2005 [61]. Certes, les écoles régionales africaines de formation ont pris le relais (Cf. *infra* 2.2.1.) mais une formation reçue en Afrique n'a pas les mêmes effets que la même formation dispensée en France, sur les mêmes bancs que des « frères d'armes » français avec lesquels se noue une collégialité que les parcours professionnels des uns et des autres renforcent.

Le troisième est l'évolution de la nature des conflits en Afrique. Comme l'ont montré les événements en Côte d'Ivoire en 2004, les situations conflictuelles en Afrique relèvent de plus en plus des techniques du maintien de l'ordre. Quand des manifestants menacent une base française, la réponse militaire n'est pas la plus adaptée. La police et la gendarmerie ne sont pas illégitimes à revendiquer une expertise du maintien de l'ordre qui peut être transposée à l'Afrique et qui trouve un écho tout particulier dans le concept de « gestion civile des crises » promu par l'Union européenne [62].

---

57. Hugo Sada, « Le changement à petits pas des relations franco-africaines », *Revue internationale et stratégique*, n° 33, printemps 1999, p. 228.

58. Direction de la coopération militaire et de défense, 2008.

59. Jacques Norlain, « La politique militaire de la France en Afrique », *Défense nationale*, juin 2000, p. 121.

60. Hugo Sada, art. cité, p. 229.

61. Sénat, 3 juillet 2006, rapport d'information n° 450 sur la gestion des crises en Afrique subsaharienne fait au nom de la commission des Affaires étrangères, de la défense et des forces armées par MM. André Dulait, Robert Hue, Yves Pozzo di Borgo et Didier Boulaud, p. 12.

62. Agnieszka Nowak, *Civilian Crisis management : the EU way*, Cahiers de Chaillot, n° 90, June 2006, Institut d'Études de Sécurité de l'Union européenne.

2.1.2 *Une présence militaire réduite mais maintenue*

La France a la particularité de maintenir une présence militaire permanente en Afrique. Héritage de l'histoire, cette présence distingue la France des autres pays qui eurent ou ont encore une politique militaire en Afrique sans pour autant y déployer des troupes. L'autre grand colonisateur européen du continent, le Royaume-Uni, après une intervention militaire en Tanzanie, en 1961, en appui du président Nyerere, n'intervint plus sur le continent pendant près de quarante ans[63]. Sa coopération militaire se limita à des actions ponctuelles de formation dispensées par les BMATTs (*British Military Advisory and Training Teams*)[64]. Les Soviétiques n'eurent jamais de forces permanentes en Afrique et, lorsqu'ils y sont intervenus, ils préférèrent souvent le faire par le biais d'intermédiaires (les Cubains en Angola). Quant aux Américains, qui comme les Soviétiques ne s'installèrent jamais durablement en Afrique durant la Guerre froide, ils ont annoncé en février 2007 la création d'un commandement régional pour l'Afrique, *Africom*, mais peinent à lui trouver un point de chute.

Outre les personnels qu'elle met à la disposition des États africains au titre de la coopération, la France est militairement présente en Afrique à deux titres (voir carte ci-contre).

D'une part, elle entretient des bases. Depuis la fermeture de celles de Centrafrique, à Bangui et à Bouar en 1997 et celle, plus récente de Port Bouet en Côte d'Ivoire en 2008, il n'en reste que trois. Djibouti est la plus importante avec 2 800 hommes, suivies du Sénégal où les forces françaises comptent 1 200 hommes et du Gabon (800). À côté de ce dispositif permanent, la France intervient en Afrique pour des opérations ponctuelles. On en compte une trentaine depuis les indépendances. Aujourd'hui, les deux plus importantes se déroulent en Côte d'Ivoire (Licorne) et au Tchad (Epervier). Au total, ce sont environ 10 000 hommes qui sont, à un titre ou à un autre déployés en Afrique pour un coût annuel de 760 millions d'euros[65]. La décrue est importante par rapport aux années 1960 où le dispositif s'élevait à 30 000 hommes.

63. François Gaulme, *Intervenir en Afrique ? Le dilemme franco-britannique*, Les notes de l'Ifri, n° 34, 2001, p. 10.
64. Niagalé Bagayoko, « Les politiques européennes de prévention et de gestion des conflits en Afrique subsaharienne », *Les Champs de Mars*, n° 16, mars 2005, pp. 93-110.
65. Livre blanc sur la défense et la sécurité nationale, 2008, p. 156 accessible à http://lesrapports.ladocumentationfrancaise.fr/BRP/084000341/0000.pdf.

La présence militaire française en Afrique
Les accords franco-africains

ACCORDS DE DÉFENSE :Cameroun, Comores, Côte d'Ivoire, Djibouti, Gabon, Rép. centrafricaine, Sénégal, Togo

ACCORDS DE COOPÉRATION TECHNIQUE :	Burkina Faso *(1964)*, Cameroun *(1974)*, Rép. dém. du Congo *(1974)*, Bénin *(1975)*, Tchad *(1976)*, Niger *(1977)*, Comores *(1978)*, Guinée équatoriale *(1985)*, Mali *(1985)*, Kenya *(1991)*, Maroc *(1994)*, Afrique du Sud *(1998)*, Libye *(2007)*

(date de signature)

Sources : ministères de la défense et des affaires étrangères

Les forces françaises en Afrique

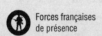 Forces françaises de présence

Opérations :

 nationales
multinationales

 avec l'ONU
avec l'UE

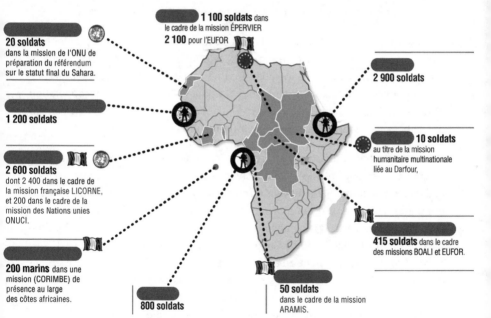

1 100 soldats dans le cadre de la mission ÉPERVIER
2 100 pour l'EUFOR

20 soldats
dans la mission de l'ONU de préparation du référendum sur le statut final du Sahara.

2 900 soldats

1 200 soldats

10 soldats
au titre de la mission humanitaire multinationale liée au Darfour,

2 600 soldats
dont 2 400 dans le cadre de la mission française LICORNE, et 200 dans le cadre de la mission des Nations unies ONUCI.

415 soldats dans le cadre des missions BOALI et EUFOR.

200 marins dans une mission (CORIMBE) de présence au large des côtes africaines.

800 soldats

50 soldats
dans le cadre de la mission ARAMIS.

Source : *Le Monde*, 1er mars 2008, p. 4.

En affirmant le 28 février 2008 au Cap [66] que « la France n'a pas vocation à maintenir indéfiniment des forces armées en Afrique » le Président Nicolas Sarkozy a ouvert un débat que le Livre blanc sur la défense rendu public quatre mois plus tard a repris au bond. Maintenir des bases en Afrique ne va plus de soi à l'heure où les capacités de projection accrues dont disposent les armées permettent de faire l'économie de ces points d'appui et où, dans certains pays comme la Côte d'Ivoire, elles constituent des abcès de fixation que les manifestations anti-françaises prennent comme objectifs. Leur mission a d'ores et déjà évolué : destinées à l'origine à garantir la sécurité des États africains nouvellement indépendants, elles sont de plus en plus des points d'appui à des opérations de projection (d'où l'importance de disposer de facilités aéroportuaires) et des acteurs de la coopération militaires avec les nations hôtes et les organisations africaines régionales.

Prenant acte du rejet dont font l'objet les forces françaises en Côte d'Ivoire, le Livre Blanc a entériné la fermeture de la base d'Abidjan et le départ des militaires français de ce pays une fois l'opération Licorne achevée. Il préconise la réorganisation du dispositif autour de « deux pôles à dominante logistique, de coopération et d'instruction, un pour chaque façade, atlantique et orientale » [67]. Cela signifie que la base de Dakar ou celle de Libreville sera fermée.

Les bases françaises sont installées sur le fondement d'accords bilatéraux de défense ou de coopération militaire technique permettant la présence de troupes, l'utilisation d'emprises et de moyens de communication. Des accords de défense ont été signés, au lendemain des indépendances, avec huit États africains : Cameroun (1960 renégocié en 1974), République centrafricaine (1960), Comores (1961), Côte d'Ivoire (1961), Djibouti (1977), Gabon (1960), Sénégal (1961 renégocié en 1974), Togo (1963). Ils garantissent aux États africains l'intervention de la France en cas d'agression extérieure ; mais ils ne s'appliquent pas aux cas de troubles civils. Dans la pratique, leur mise en œuvre s'est avérée complexe – d'autant que le caractère secret de certaines de leurs clauses ne favorisait guère la transparence : la France s'est vue

---

66. Le discours du Président de la République est accessible à http://www.elysee.fr/ documents/index.php?mode=cview&press_id=1106&cat_id=7&lang=fr.
67. Livre blanc, op. cité, p. 156.

reprocher d'intervenir alors que les accords de défense ne l'y autorisaient pas[68] ou bien de ne pas intervenir lorsque les accords lui en auraient fait l'obligation[69].

Dans le discours du Cap, le président français annonce que les accords de défense seront renégociés. Cette renégociation comporte certains risques pour la France. En particulier, un loyer risque de lui être réclamé au titre de l'occupation des bases stationnées[70]. Le Président a par ailleurs promis que les accords renégociés seraient intégralement publiés. Le Livre Blanc ajoute à cette publicité bienvenue que le Parlement sera désormais informé des accords existants et tenu au courant de la conclusion des nouveaux, que ceux-ci doivent ou non faire l'objet d'une ratification parlementaire. Un premier accord de défense de nouvelle génération est signé avec le Togo en mars 2009.

2.2   Le refus de l'unilatéralisme

La nouvelle doctrine militaire française en Afrique tire une double leçon des hésitations de la période précédente[71]. La première est que le refus d'intervenir n'est pas tenable. Les intérêts de la France en Afrique ne sont pas négligeables au point qu'elle puisse rester l'arme au pied lorsque des troubles y éclatent. La seconde est que les modalités de son intervention doivent changer. La France entend marquer la fin du tête-à-tête avec ses anciennes colonies dont elle ne veut ni ne peut plus assumer le coût politique et financier. Ce parti pris a lui-même deux conséquences. La première est d'encourager l'africanisation des solutions

68. En 1996, en Centrafrique, les opérations Almandin I et II neutralisent des mutineries dans l'armée sans que les accords de défense ne le permettent *a priori*.
69. En 2002, le président Gbagbo invoque les accords de défense pour exiger de la France qu'elle intervienne auprès des forces régulières de Côte d'Ivoire contre la rébellion nordiste que le Chef de l'État suspecte – non sans raison – d'être soutenue par le Burkina-Faso. La France se défausse en arguant qu'elle conserve dans tous les cas « la possibilité d'apprécier, en fonction de la situation, que la demande éventuelle d'un État répond bien aux critères de mise en œuvre de l'accord » (audition au Sénat du général Henri Bentégeat, chef d'état-major des armées, sur la gestion des crises en Afrique subsaharienne, 22 mars 2006).
70. Invoquant le loyer qu'il perçoit des *Marines* américains stationnés sur son sol, le gouvernement djiboutien a exigé et obtenu en 2003 de la France le versement de 30 millions d'euros par an pour les forces qui y sont stationnées.
71. Hewane Serequeberhan, « La politique de la France à l'égard des conflits en Afrique. Depuis 2002, une politique à tâtons », *Annuaire français de relations internationales*, vol. VII, 2006, pp. 424-441.

aux crises africaines (2.2.1). La seconde est, lorsque l'intervention est nécessaire, de l'inscrire dans un cadre multilatéral (2.2.2).

2.2.1 *L'appropriation africaine*

En proposant au Cap que « la présence militaire française en Afrique serve en priorité à aider l'Afrique à bâtir comme elle en a l'ambition, son propre dispositif de sécurité collective », le Président Nicolas Sarkozy confirme une orientation décidée par son prédécesseur : l'africanisation des solutions aux crises africaines. La France entend mettre l'Afrique à même de résoudre elle-même ses crises, notamment par le biais de ses organisations régionales. Pour ce faire, elle a engagé depuis une dizaine d'années un programme de renforcement des capacités africaines de maintien de la paix.

Il y a deux façons d'évaluer cette politique. La première salue la responsabilisation des États africains dans la gestion de leurs affaires. N'est-il pas de plus frappante rupture avec le colonialisme qui était jusqu'alors stigmatisé qu'une politique qui encourage les Africains à prendre en main leur destin ? La seconde dénonce au contraire l'hypocrisie de cette solution que motivent des considérations budgétaires (« faire faire » est moins coûteux et moins risqué que « faire ») et le souci de faire endosser par des partenaires africains réduits au rôle de supplétifs des interventions dont l'esprit sinon la forme n'a pas changé.

Lancé en 1997, le programme Recamp comprend trois volets.

Le premier est celui de la formation. Elle est désormais dispensée en Afrique même dans les Écoles nationales à vocation régionale (ENVR), mises en place avec le soutien de la France, qui sont aujourd'hui au nombre de quatorze. Ce dispositif est coiffé par l'École de maintien de paix, initialement implantée en Côte d'Ivoire et déplacée depuis 2002 au Mali, à Koulikoro d'abord puis à Bamako même. Cette formation, accessible à un moindre coût, est dispensée à un plus grand nombre de stagiaires : 1 500 environ chaque année (alors que, on l'a dit, le nombre de stagiaires africains formés en France n'est plus que de 750).

Le deuxième est l'équipement. Au lieu de distribuer des matériels aux armées africaines, la France a choisi de les stocker sur ses bases et de les mettre à disposition, le cas échéant, des opérations africaines de maintien de la paix qui en auraient besoin.

Le troisième est l'entraînement à travers notamment l'organisation de manœuvres régulières. Tous les deux ans, un exercice majeur, simulant une opération de maintien de la paix, permet d'entraîner la totalité de la chaîne de commande-ment. Le premier, dénommé Guidimakha, a eu lieu en 1998 à la frontière du Séné-gal, du Mali et de la Mauritanie. Le troisième, en 2003, a été organisé en Tanzanie, pour illustrer l'ouverture de la France à l'Afrique non francophone.

Le concept Recamp a toutefois évolué au contact des réalités. En 1999, en Guinée-Bissau, une force africaine de la Cedeao[72], composée de soldats gambiens, togolais, béninois et nigériens, a été déployée suivant les principes du programme Recamp. Mais ce bataillon de 600 hommes, transportés et armés par la France, a échoué dans sa mission et a dû se replier après quatre mois de séjour. En 2002, en Côte d'Ivoire, la Cedeao ne parvient pas non plus à remplir sa mission, démontrant une seconde fois que l'interoperabilité africaine a encore des progrès à faire. C'est l'opération Licorne, initialement mise en œuvre pour assurer seulement la sécurité des ressortissants français, qui est chargée de faire respecter le cessez-le-feu sur la ligne d'interposition. Forgé en 1997, le programme doit tenir compte, à partir de 2002, du retour à une politique plus interventionniste de la France, qui a fait le constat de l'incapacité à ce stade des organisations régionales d'intervenir seules[73].

Le concept Recamp reste pourtant d'actualité. En 2004, l'exercice Recamp IV est organisé au Bénin. En 2006, Recamp V a lieu au Cameroun. Mais Recamp évolue dans deux directions. D'une part, tirant les leçons de son insuffisante articu-lation avec les organisations régionales africaines, le programme entend engager un dialogue avec elles et renforcer leurs capacités civilo-militaires de gestion de crises. D'autre part, la France veut associer d'autres pays européens à Recamp et en faire « l'opérateur de référence de la PESD (Politique européenne de sécurité et de défense) »[74]. Cette évolution montre que l'africanisation de la gestion des crises africaines est indissociable de leur multilatéralisation.

---

72. La Communauté économique des États d'Afrique de l'Ouest comprend les anciennes colonies françaises (regroupées dans l'Union économique et monétaire de l'Afrique de l'Ouest (Uemoa)), britanniques et portugaises d'Afrique de l'Ouest. Elle est dominée par le Nigeria où le secrétariat général de la Cedeao a son siège.
73. Pierre Pascallon, « Le réengagement de la France pour la sécurité en Afrique », *Géopolitique africaine*, n° 14, printemps 2004, pp. 211-218.
74. Niagalé Bagayoko, *The EU and the Member states : the African capabilities building programs*, Centre d'analyse stratégique, Premier ministre, 2007.

2.2.2 La multilatéralisation

La France a pris conscience des limites de la politique d'africanisation. Les organisations sous-régionales ne sont pas encore capables de prendre en charge, seules, la sécurité du continent. Cela ne signifie pas qu'il ne faille pas continuer cette politique. Cela implique toutefois que, d'ici là, la France devra continuer à intervenir directement. Pour autant, il n'est pas question qu'elle le fasse dans les mêmes conditions que par le passé. Le temps de l'unilatéralisme n'est plus. C'est désormais dans un cadre multilatéral que la France intervient en Afrique : avec l'onction juridique de l'ONU ou des organisations africaines et avec, sur le terrain, la collaboration plus ou moins significative d'autres armées, européennes ou africaines.

En multilatéralisant ses interventions, la France poursuit un double objectif. Le premier est de les entourer d'une légitimité plus solide. L'exigence préalable d'une résolution du Conseil de sécurité des Nations unies, cohérente avec le rôle central que la diplomatie française entend faire jouer à l'instance onusienne, désamorce l'accusation d'arbitraire qui pourrait être adressée à une opération décidée sans mandat international. Le deuxième est de mutualiser le risque politique que l'ancienne puissance coloniale ne supporte plus de porter seule. Le « partage du fardeau » pourrait constituer à terme un troisième objectif. Mais pour l'heure, l'association de forces d'autres pays demeure encore trop symbolique pour que le coût d'une intervention en Afrique soit significativement moins onéreux pour les finances publiques françaises.

L'ONU constitue une source de légitimité indispensable. La France ne peut pas défendre la politique qui fut la sienne à l'égard des États-Unis durant la guerre d'Irak (2003) et se dispenser de l'onction du Conseil de sécurité avant d'intervenir en Afrique. En Côte d'Ivoire, en République démocratique du Congo (RDC) ou au Darfour, il n'est plus d'interventions militaires qui n'aient été au préalable dûment autorisées par une résolution du Conseil.

L'ONU n'est pas seulement une instance juridique de légitimation. C'est aussi un acteur militaire à part entière qui, même s'il n'est pas doté d'une armée permanente, initie et coordonne en Afrique de nombreuses opérations de maintien de la paix : au Sahara occidental (Minurso), à la frontière de l'Ethiopie et de l'Erythrée (Minuee), au Libéria (Minul), en RDC (Monuc)[75], en Côte d'Ivoire (Onuci) ou plus récemment au Darfour sous la forme d'une force hybride de l'Union africaine et

---

75. Avec près de 20 000 hommes et un budget de 1,1 milliard de dollars, la Mission de l'ONU au Congo est la plus grosse opération de maintien de la paix jamais mise en œuvre.

des Nations unies (Minuad)[76]. La France participe à ces opérations à travers les soldats qui y prennent part, sa contribution financière au budget des opérations de maintien de la paix (OMP) – qui a triplé entre 1999 et 2005 – et son influence politique à New York, notamment au Conseil de sécurité. Il n'est pas anodin que l'actuel directeur du département des opérations de maintien de la paix (DPKO), comme ses deux prédécesseurs, soit Français.

Les militaires français ont récemment découvert les organisations régionales africaines. Longtemps elles n'ont joué aucun rôle en matière de sécurité. Mais la transformation de l'Organisation de l'unité africaine (OUA) en Union africaine (UA) en 2001 a marqué une rupture. Tournant le dos au dogme de la non-intervention, l'UA a mis en œuvre une politique de sécurité calquée sur celle de l'Union européenne. Elle dispose d'un Conseil de paix et de sécurité – copié du Comité politique et de sécurité (COPS) de l'UE – doté d'un centre de gestion des conflits et d'une direction pour les opérations de la paix. Comme l'Union européenne l'avait fait à Helsinki[77], l'UA a décidé de créer, d'ici 2010, une « force africaine en attente » de 15 000 hommes comprenant cinq brigades régionales.

Le dispositif français en Afrique essaie d'être cohérent avec cette architecture, chaque base prépositionnée étant – plus ou moins artificiellement – associée avec l'une des brigades de l'UA : Dakar avec la brigade ouest de la Cedeao[78], Libreville avec la brigade centre de la CEEAC[79], Djibouti avec la brigade est de l'Igad[80], La

---

76. Le dispositif onusien au Soudan est complexe. D'un côté, la Minus est chargée de mettre en œuvre l'accord de paix signé le 9 janvier 2005 entre les autorités de Khartoum et la rébellion sud-soudanaise pour mettre fin à une guerre civile qui a duré plus de vingt années. De l'autre, la Minuad est une opération hybride de l'Union africaine et des Nations unies, autorisée par la résolution 1769 du 31 juillet 2007, dont le budget dépasse le milliard de dollars est dont le mandat est de ramener la paix au Darfour. Une troisième mission onusienne, beaucoup plus modeste, dénommée Minurcat, s'est déployée en septembre 2007 dans l'est du Tchad, à la frontière soudanaise et centrafricaine.
77. Le Conseil européen de Helsinki a décidé, en décembre 1999 la constitution d'une force de réaction rapide comprenant 60 000 hommes pouvant être déployés en moins de soixante jours pendant au moins un an.
78. Cf. *supra* note 71.
79. La Communauté économique des États d'Afrique centrale (CEEAC) comprend, outre les six États de l'ex-AEF aujourd'hui regroupés dans la Communauté économique et monétaire d'Afrique centrale, l'Angola, la RDC, le Rwanda et le Burundi.
80. L'Autorité intergouvernementale pour le développement (Igad) regroupe les sept États de la Corne de l'Afrique.

Réunion avec la brigade sud de la SADC – la brigade nord de l'UA dont la constitution est du ressort de l'UMA[81] n'est pas encore constituée. Cette architecture séduisante reste néanmoins très théorique. L'intégration régionale en Afrique recouvre des réalités très différentes : sans parler ici de l'UMA qui n'a jamais réussi à dépasser la rivalité algéro-marocaine, l'Igad en Afrique de l'Est ou la CEEAC en Afrique centrale sont encore embryonnaires. La SADC en Afrique australe est aimantée par l'Afrique du Sud. La Cedeao est la seule à avoir développé une réelle expertise en matière de sécurité. Des opérations militaires ont été montées sous son égide au Liberia en 1990, en Sierra Leone en 1997, en Côte d'Ivoire en 2002.

Les résultats mitigés des opérations menées par l'Ecomog[82], comme celles organisées sous l'égide de l'UA au Burundi (Amib[83]) ou au Soudan (Amis[84]) montrent les limites des espoirs qui peuvent être placés dans cette africanisation multilatéralisée de la gestion des crises. La faute n'en incombe pas seulement au déficit de capacités opérationnelles de ces jeunes organisations. Le fait qu'elles interviennent souvent par défaut, sur des théâtres d'opérations où ni la France, ni l'ONU ne veulent ou ne peuvent s'impliquer (le Liberia ou la Sierra Leone hier, le Darfour aujourd'hui) est pour beaucoup dans leur échec.

L'Union européenne sera, de plus en plus, un acteur important dans la gestion des crises africaines[85]. La France est pour beaucoup dans cette évolution qui n'avait pas les faveurs des autres pays européens. Nombreux étaient ceux qui entendaient circonscrire la PESC (Politique extérieure et de sécurité commune) et son bras armé, la PESD (Politique européenne de sécurité et de défense), à l'espace européen et à ses frontières. C'est sous l'impulsion de la France que l'Afrique est considérée comme une priorité stratégique dans la Stratégie européenne de sécurité de juin 2003 puis dans la Stratégie de l'Union européenne pour l'Afrique de décembre 2005. Mais au-delà de ces déclarations, l'Afrique peut aussi devenir le

---

81. Union du Maghreb arabe.

82. Ecomog est l'acronyme anglais désignant le groupe d'observateurs militaires de la Cedeao (*Ecowas monitoring group*).

83. African mission in Burundi.

84. African mission in Sudan.

85. Fernanda Faria, *La gestion des crises en Afrique subsaharienne. Le rôle de l'Union européenne*, Occasional paper, n° 55, Institut d'études de sécurité de l'Union européenne, novembre 2004.

terrain concret de mise en œuvre d'une politique extérieure active. C'est toute la portée de l'opération Artémis lancée en juin 2003 dans l'est du Congo à la demande de l'ONU (résolution 1484 du 30 mai 2003)[86]. Pour la première fois, l'Union européenne intervient hors de son environnement immédiat démontrant la capacité de l'Europe à jouer un rôle mondial. Plus important encore, pour la première fois, une opération militaire européenne est montée sans recourir aux moyens de l'Otan.

On se tromperait pourtant en concluant que l'Europe a décidé de s'investir en Afrique et de s'y substituer à la France[87]. Artémis n'est pas une opération européenne. C'est une intervention française qui a été européanisée. Si l'Europe agit, c'est parce que la France le veut et qu'elle y trouve son compte. Elle le trouve même doublement. Avec Artémis, Paris fait d'une pierre deux coups, renforçant l'Europe de la défense tout en modernisant sa politique africaine. Elle démontre aux Américains que l'Europe est capable de monter une opération militaire lointaine sans l'aide de l'Otan. Elle remet pied dans la région des Grands Lacs, dix ans après le génocide rwandais, sans s'exposer aux accusations de paternalisme ou de néo-colonialisme.

Mais ce double bénéfice a un coût. L'européanisation de la politique interventionniste de la France l'oblige aussi à des sacrifices. Aussi influencée soit-elle par la volonté de la France, la politique européenne n'en demeure pas moins autonome. Le fonctionnement de ses institutions explique en particulier l'accent mis sur la gestion civile des crises. L'Afrique est en effet, au sein des institutions communautaires, l'objet d'une lutte d'influence entre le Conseil qui a en charge la dimension militaire et la Commission chargée de la dimension civile[88]. Au sein de la Commission la direction générale (DG) développement qui considère l'Afrique comme sa

86. Niagalé Bagayoko, « L'opération Artémis, un tournant pour la politique européenne de sécurité et de défense ? », *Afrique contemporaine*, n° 209, avril 2004, pp. 101-116 ; Thierry Tardy, « L'Union européenne, nouvel acteur du maintien de la paix : le cas d'Artemis en République démocratique du Congo » in Jocelyn Coulon (dir.), *Guide du Maitien de la Paix 2005*, Montréal, Athéna-CEPES, pp. 35-56.
87. Gorm Rye Olsen, « Africa. Still a secondary security challenge to the European Union » in Thierry Tardy (dir.), *European Security in a Global Context : Internal and external dynamics*, Routledge, Contemporary security studies, 2009, pp. 154-173.
88. Alexandra Krause, « The European Union's Africa Policy : The Commission as Policy Entrepreneur in the CFSP », *European Affairs Review*, n° 8, 2003, pp. 221-237.

chasse gardée – et dont le comportement n'est pas sans rappeler *mutatis mutandis* celui des agents de la rue Monsieur – revendique d'être impliquée dans la mise en œuvre des programmes à vocation sécuritaire. Son entrisme a conduit à une « civilianisation » de la PESD sur le continent africain[89]. Profitant notamment de la « facilité de paix » adoptée en novembre 2003, financée par le Fonds européen de développement (FED) et administrée par la Commission, la DG développement a pu initier des opérations civilo-militaires en Afrique. C'est sur son initiative qu'ont été lancées en 2004 une mission de police (Eupol Kinshasa relayée en 2007 par Eupol RDC) et en 2005 une réforme du secteur de sécurité (EUSEC RDC) en République démocratique du Congo. Cette « civilianisation » de la PESD rétroagit sur la politique française qui est contrainte de faire évoluer sa doctrine militaire, dont on a vu combien elle était influencée par la culture d'armes des troupes de marine, vers des positions proches de celles défendues par la gendarmerie.

RÉSUMÉ

Le dispositif français en Afrique connaît depuis une dizaine d'années une évolution rapide. Côté civil, la Coopération perd sa singularité en fusionnant avec le Quai d'Orsay, une réforme qui ne se fait pas sans difficulté tant les cultures de ces deux institutions diffèrent. Côté militaire les bases permanentes ferment les unes après les autres ; les accords de défense conclus dans les années 60 sont renégociés. Rompant avec la politique de la canonnière, la France n'intervient plus systématiquement. Et quand elle le fait, c'est en appui des organisations africaines et de plus en plus dans un cadre européen.

89. Niagalé Bagayoko, « Gouvernance multi-niveaux et politique de sécurité africaine de l'Union européenne » in Frédéric Mérand & René Schwok (dir.), *L'Union européenne et la sécurité internationale*, Publications de l'Institut européen de l'Université de Genève, n° 4, 2008, pp. 189-204.

UN AUTRE « PASSÉ QUI NE PASSE PAS »[1]

La relation franco-africaine reste lestée du poids d'un passé mal assumé. Le rejet dont la France est parfois l'objet, notamment dans les couches les plus jeunes de la population africaine, tire argument de sa responsabilité dans les pages les plus sombres de l'histoire de l'Afrique : l'esclavage qui l'a saignée de ses forces vives alors qu'elle constituait encore un continent sous-peuplé, la colonisation qui marqua son entrée traumatisante dans la modernité tout en l'enserrant dans des frontières qu'elle n'avait pas choisies, la décolonisation dont on néglige qu'elle fut, en Afrique subsaharienne, émaillée de massacres aujourd'hui « oubliés » (Madagascar 1947, Cameroun 1955). Pour les contempteurs de la Françafrique, il existe un continuum entre les crimes les plus barbares dont les colonisateurs se sont rendus coupables et les inquiétantes dérives de la Mafiafrique au début du XXIe siècle.

Ce passé est d'autant plus ressassé qu'il serait l'objet d'une « occultation »[2] chez l'ancien colonisateur. Entre l'oubli passif et la manipulation active, il n'y a qu'un pas qui est rapidement franchi par les accusateurs d'une véritable « politique de l'oubli »[3] qui confine au complot qu'il s'agit de démasquer. Cette

---

1. Eric Conan & Henry Rousso, *Vichy, un passé qui ne passe pas*, Fayard, 1994.
2. La couverture du bimestriel du Monde diplomatique *Manières de voir* consacré aux « pages d'histoire occultées » (août-septembre 2005) montre un esclave noir dans ses chaînes.
3. Myriam Cottias, « La politique de l'oubli », France-Antilles, Cent cinquantenaire de l'abolition de l'esclavage, mai 1998, pp. 36-38.

dénonciation s'exprime aujourd'hui sur Internet, perçu comme un espace plus démocratique que celui du débat politique ou universitaire, lequel est soupçonné de participer activement à la construction d'une « mémoire sélective »[4]. On y trouve tout à la fois le désir de mieux connaître une Histoire marginalisée par les manuels scolaires et l'expression parfois délirante de paranoïas racistes, voire antisémites lorsque sont mises en regard la place « envahissante » de la Shoah et la relégation de la mémoire de l'esclavage.

Le rôle de l'Europe en général, de la France en particulier, est très souvent stigmatisé : l'Afrique, berceau de l'humanité, creuset des civilisations pharaoniques[5], riche de ressources naturelles inépuisables, a été pillée par l'esclavage et la décolonisation, seuls responsables de son sous-développement. Le crime colonial a revêtu le masque de l'hypocrisie : la patrie des Lumières a pris prétexte de la diffusion de ses valeurs humanistes pour étendre sa domination aux territoires qu'elle a colonisés. La France a été et est encore raciste vis-à-vis des Noirs en refusant de les intégrer dans la communauté nationale, en multipliant à leurs égards les discriminations sociales, économiques ou politiques. Elle fait preuve d'amnésie, voire de négationnisme, en niant la réalité des crimes commis, en refusant de s'en repentir et a fortiori de les réparer.

Appréhender ce débat avec sérénité n'est pas aisé. Qui insiste sur les aspects positifs de la colonisation s'attire les foudres des « Indigènes de la République » ; qui souhaite que l'esclavage et la colonisation trouvent leur place dans la mémoire nationale risque d'être dénoncé comme « Repentant ». Il n'appartient pas à l'historien de dresser la liste des actions positives et négatives, de tenir des bilans comptables. L'historien n'est pas un épicier ; il n'est pas non plus un procureur qu'on convoque à charge ou à décharge pour instruire le procès de la colonisation ou au contraire s'en faire le chantre[6]. Ceci dit, sans prétendre ici dresser un bilan

---

4.   La présentation du site Internet afrocentriste Africamaat est emblématique de cette tendance : « Ce site a pour vocation de vulgariser et poursuivre les recherches sur l'histoire de l'Afrique et *d'identifier les raisons de la falsification orchestrée de l'histoire africaine* » (souligné par nous)

5.   L'historien sénégalais Cheikh Anta Diop (1923-1986) a établi une filiation entre l'Egypte antique et le monde noir contemporain.

6.   Jean-Pierre Chrétien, « Le passé colonial : le devoir d'histoire », *Politique africaine*, n° 98, juin 2005, pp. 141-148.

définitif de l'esclavage et de la colonisation, on s'attachera à souligner le décalage entre, d'une part, la prise de conscience, douloureuse et conflictuelle, de ces « enjeux de mémoire » en France et, d'autre part, l'étonnante absence de querelle sur ces sujets en Afrique.

1   LA TRAITE NÉGRIÈRE ET L'ESCLAVAGE : LA FIN DE L'OUBLI

La redécouverte récente en France de ce passé toujours polémique (1.1) contraste avec l'absence de débat sur ces questions en Afrique (1.2).

1.1   La redécouverte récente par la France de son passé esclavagiste

1.1.1 *Du déni de l'esclavage à la reconnaissance d'une « question noire »*

Pendant longtemps, la France a nié son passé esclavagiste. Ce serait lui faire un procès injuste que de voir dans ce déni la volonté clairement consciente d'apposer un voile sur une page sombre de cette histoire. Cet « oubli » ne résulte pas d'une politique délibérée mais plutôt d'un processus quasi-psychologique de double refoulement. L'esclavage et la traite sont refoulés du mythe national des Lumières et de la République, leur évocation se limitant à celle, valorisante, de leurs abolitions. Ils sont également refoulés du territoire métropolitain, ces sujets n'intéressant que l'Afrique et les Dom-Tom situés bien loin de l'hexagone.

Volontaire ou non, le déni de cette histoire a conduit à son ignorance. Outre-Atlantique, les travaux scientifiques se sont multipliés ainsi que les œuvres de vulgarisation. Rien de tel en France où le succès en 1977 de la série télévisée *Racines* (*Roots*) adaptée du roman de Alex Haley n'a pas d'équivalent. L'œuvre monumentale dirigée par Pierre Nora *Les lieux de mémoire* ne dit pas un mot de l'esclavage ou de la traite – la contribution de Benoît Lecoq sur le café ne consacre pas une ligne aux économies de plantation. Même silence dans l'*Histoire des Femmes en Occident* de Michelle Perrot et Georges Duby (5 vol., 1991-1992). Il n'existe aucun musée en métropole où cette mémoire soit entretenue, aucun monument devant lequel se recueillir. Aucune commémoration officielle n'est organisée[7] sinon dans les seuls départements d'outre-mer où, depuis 1983, un jour férié commémore l'abolition de l'esclavage. Aucune figure n'est reconnue sinon celles, blanches, ayant œuvré pour l'abolition (Diderot, Mirabeau, Schoelcher…).

Les choses ont commencé à changer au début des années 1990 avec le succès de l'exposition nantaise « Les anneaux de la mémoire » (300 000 visiteurs entre décembre 1992 et février 1994). Nantes, le premier port négrier français[8], acceptait de se retourner sur son passé – un retour que Bordeaux[9] entreprit plus timidement avec l'exposition « Regards sur les Antilles » en 1999-2000. Le 23 mai 1998, près de 40 000 personnes défilent à Paris à l'appel d'associations d'outre-mer pour commémorer le 150e anniversaire de l'abolition de l'esclavage[10]. Ce mouvement s'est poursuivi à travers le dépôt d'une proposition de loi tendant à faire de la traite et de l'esclavage un crime contre l'humanité. Cette loi est rapidement adoptée par l'Assemblée nationale ; mais le Sénat ayant tardé à l'approuver, c'est seulement le 23 mai 2001 qu'elle est promulguée.

La loi Taubira – du nom de la députée de la Guyane à l'origine du texte – prévoit notamment la création d'un comité pour la mémoire de l'esclavage (CPME) qui, dans le rapport qu'il remet au Président de la République le 12 avril 2005, formule trois propositions principales. La première est de commémorer l'esclavage, la traite et leurs abolitions. Trouver une date pour cette double commémoration n'est pas simple : la mémoire de l'esclavage et celle de ses abolitions ne sont pas strictement superposables. C'est la raison pour laquelle la date du 27 avril, anniversaire de l'abolition de 1848, est récusée car elle risque d'être le prétexte à la « célébration unilatérale d'une France "bonne et généreuse" »[11]. Le 10 mai, date

---

7.   Depuis 1986, les Américains chôment le *Martin Luther King Day* le troisième lundi du mois de janvier. Dans ce pays, ainsi qu'au Canada et au Royaume-Uni, un mois de l'histoire des Noirs (*Black History Month*) est l'occasion de manifestations, d'expositions, de conférences sur l'esclavage et les discriminations raciales dont les Noirs sont victimes.

8.   Olivier Pétré-Grenouilleau, *Nantes au temps de la traite des Noirs*, Hachette, 1998.

9.   Eric Saugera, *Bordeaux, port négrier. XVIIe – XIXe siècles*, Karthala, 1995.

10.   L'esclavage fut aboli une première fois le 4 février 1794 par la Convention. Mais cette mesure fut rapportée en 1802 par le Premier Consul, Napoléon Bonaparte – qui aurait été influencé par son épouse Joséphine de Beauharnais, issue d'une riche famille créole de la Martinique. Il faut attendre la IIe République pour que soit définitivement aboli l'esclavage dans les colonies le 27 avril 1848.

11.   Comité pour la mémoire de l'esclavage, *Rapport au Premier ministre*, avril 2005, p. 28.

de l'adoption au Parlement de la loi Taubira, lui est préférée car elle a à la fois une portée nationale (les représentants du Peuple souverain ont voté à l'unanimité) et universelle (la reconnaissance d'un crime contre l'humanité). Les deux autres propositions du CPME sont moins novatrices. L'une tend à généraliser l'enseignement de l'esclavage à l'école et à encourager la recherche universitaire. L'autre étonne par son manque d'ambition : le CPME préconise que soit dressé l'inventaire muséographique des objets relatifs à la traite et à l'esclavage. La création d'un musée de l'esclavage n'est pas proposée – alors même qu'un musée international de l'esclavage est créé dans l'ancien port négrier de Liverpool en 2007 pour le bicentenaire de l'abolition de la traite par le Royaume-Uni. Il est vrai que la mémoire de l'esclavage soulève d'épineuses questions muséographiques[12] : sachant que la quasi-totalité des images et des objets sur la traite et l'esclavage ont été produits par des Blancs, comment faire entendre la voix des esclaves ?

Le vote de la loi Taubira marque le passage d'une situation défensive, marquée par le repli identitaire de la communauté noire à celle, offensive de la revendication identitaire[13]. Les « Noirs de France », éclatés en une multitude d'associations culturelles, militantes, divisés entre Français des Dom-Tom et Africains, partagent les mêmes expériences quotidiennes, au-delà de leurs différences objectives de situation. Leur marginalisation est double. D'une part, la couleur de leur peau les met au ban d'une société blanche raciste et discriminante[14]. D'autre part, le traitement social de l'immigration s'est focalisé sur les populations maghrébines dont l'histoire, la culture, la religion diffèrent de celles des populations noires.

En 1999, le collectif *Égalité* emmené par la romancière franco-camerounaise Calixthe Beyala milite pour une plus grande visibilité des Noirs à la télévision. Il faut néanmoins attendre juillet 2006 pour qu'un journaliste d'origine martiniquaise, Harry Roselmack, présente le « 20 heures » de TF1[15]. En 1999 naît

12. Françoise Vergès, « Les troubles de mémoire : traite négrière, esclavage et écriture de l'histoire », *Cahiers d'études africaines*, n° 179-180, décembre 2005.
13. Richard Senghor, « Le surgissement d'une "question noire" en France », *Esprit*, n° 321, janvier 2006, pp. 5-19.
14. L'historien François Durpaire, spécialiste des États-Unis, analyse dans *France blanche, colère noire* (Odile Jacob, 2006) la dérive communautaire qui menace la France et invite, à partir de l'exemple américain, à dépasser la fracture de la couleur.
15. Avant lui, une autre Martiniquaise, Audrey Pulvar, avait présenté le JT de France 3 à 19 heures en septembre 2004.

également à l'instigation de Dogad Dogoui, un homme d'affaires ivoirien, le club Africagora pour promouvoir l'insertion professionnelle des diasporas africaines. En 2003, le Capdiv (Cercle d'action pour la diversité de la France) entend œuvrer « en vue de l'amélioration de la place et de la situation des Noirs de France ». Son président, Patrick Lozès, originaire du Bénin – son père fut sénateur en France sous la IVe République – et militant à l'UDF, réalise la nécessité de fusionner ces initiatives en créant, sur le modèle revendiqué du Crif (Conseil représentatif des institutions juives de France), le Cran (Conseil représentatif des associations noires de France) qui fédère aujourd'hui plus de 120 associations. Il est épaulé par l'historien Pap Ndiaye, distingué en octobre 2008 par *Le Nouvel Observateur* parmi « les 50 stars de la pensée française » dont l'ouvrage *La condition noire* publié au printemps 2008 donne à la revendication noire une armature intellectuelle [16]. La démarche du Cran et de Pap Ndiaye n'est pas sans paradoxe. Ils formulent des revendications sociales très diverses au nom d'une revendication identitaire globale. Ils critiquent l'essentialisation dont les Noirs sont victimes tout en encourageant une représentation monolithique. Ils réclament plus de visibilité tout en demandant un droit à l'invisibilité.

1.1.2 *L'Affaire Pétré-Grenouilleau*

C'est dans ce contexte qu'éclate l'affaire Pétré-Grenouilleau. Jeune maître de conférence à l'université de Lorient, auteur d'une thèse remarquée sur le port négrier de Nantes et d'un *Que sais-je ?* sur « la traite des Noirs » [17], Olivier Pétré-Grenouilleau publie en 2004 dans la prestigieuse collection *La bibliothèque des histoires* de Gallimard dirigée par Pierre Nora un épais volume de 470 pages sur les Traites négrières sous-titré « Essai d'histoire globale ». Pourtant d'une lecture austère, ce livre fait l'objet d'un très bon accueil critique. Il est distingué lors des Rencontres d'histoire de Blois, reçoit le prix du Livre d'histoire du Sénat et le prix de l'Essai de l'Académie française. Se réclamant de la *global history* anglo-saxonne, Pétré-Grenouilleau entend étudier la traite dans toutes ses dimensions (historiques, économiques, culturelles). Surtout, il ne se borne pas à la traite transatlantique, mais étend son propos aux traites internes à l'Afrique et aux traites orientales qui

---

16. Il a reçu en octobre 2008 le prix Jean-Michel Gaillard décerné par l'Institut des relations internationales et stratégiques (Iris).
17. Presses universitaires de France, 1997.

alimentèrent en esclaves noirs l'Afrique du Nord et le Moyen-Orient entre les VIIe et XIXe siècles. En soulignant l'ampleur (17 millions d'esclaves[18] contre 11 pour les traites occidentales) et la cruauté des traites orientales (la mortalité lors des traversées du Sahara atteint 20 % contre 10 à 15 % lors des traversées transatlantiques), Pétré-Grenouilleau donne l'impression – ce dont il se défend – de minimiser l'importance de la traite transatlantique. Odile Tobner – qui a succédé à François-Xavier Verschave à la tête de l'association *Survie* – attaque violemment l'historien sur ce point : « *On pourrait ainsi, si on l'osait, faire une histoire globale de l'antisémitisme qui dissoudrait et relativiserait la Shoah dans les millénaires persécutions contre les juifs* »[19]. Sur un ton plus mesuré, Françoise Vergès souligne la double originalité de la traite transatlantique[20]. Même s'il faut se garder de tout anachronisme, cette entreprise attentatoire à la dignité humaine a été menée par des nations qui, à la même époque, défendaient des idéaux humanistes (les sociétés musulmanes qui ne professaient pas l'universalité des Droits de l'homme en sont-elles pour autant moins « coupables » ?). Elle a par ailleurs donné naissance à des sociétés « noires » ou « créoles » qui existent aujourd'hui encore alors qu'on peine à distinguer leurs traces au Maghreb ou au Moyen-Orient.

Le livre de Pétré-Grenouilleau ne serait pas devenu une « affaire » si, invoquant les propos tenus dans un entretien au *Journal du dimanche* publié le 12 juin 2005[21], le Collectif des Antillais, Guyanais et Réunionnais (collectif Dom) n'avait déposé plainte contre l'auteur pour négation de crime contre l'humanité. En plein débat sur l'article 4 de la loi du 23 février 2005 (Cf. *infra* 1.2.), l'affaire Pétré-Grenouilleau devient symbolique du danger que les lois mémorielles votées par le Parlement

---

18. L'auteur cite les chiffres de Ralph Austen présenté comme « le meilleur spécialiste de la question » (Olivier Pétré-Grenouilleau, « La traite oubliée des négriers musulmans », *L'Histoire*, numéro spécial « La vérité sur l'esclavage », n° 280, octobre 2003, p. 48).

19. Odile Tobner, *Du racisme français. Quatre siècles de négrophobie*, Les Arènes, 2007.

20. Françoise Vergès, « Malaise dans la République : mémoires troublées, territoires oubliés », in Pascal Blanchard, Nicolas Bancel et Sandrine Lemaire (dir.), *Culture coloniale en France. De la Révolution française à nos jours*, CNRS/Autrement, 2008, p. 575 (nous avons rendu compte de cet ouvrage dans *La Revue internationale et stratégique*, n° 72, hiver 2008-2009, pp. 258-259).

21. Dans cet entretien, Olivier Pétré-Grenouilleau affirme : « Les traites négrières ne sont pas des génocides. La traite n'avait pas pour but d'exterminer un peuple. L'esclave était un bien qui avait une valeur marchande qu'on voulait faire travailler le plus possible. Le génocide juif et la traite négrière sont des processus différents ».

feraient peser sur la recherche historique[22]. Plusieurs historiens de renom publient l'appel « Liberté pour l'histoire » en décembre 2005 pour s'insurger contre les ingérences politiques dans l'écriture historique et réclamer l'abrogation des lois mémorielles[23]. Leur appel n'aboutit pas à l'abrogation de la loi Taubira. Mais il a influencé le collectif Dom qui retire sa plainte, laquelle, selon son président, « n'était pas comprise par la société française ». L'affaire Pétré-Grenouilleau se termine sans épilogue judiciaire. Mais elle témoigne que l'histoire de l'esclavage et de la traite est loin de constituer un objet d'histoire consensuel en France.

1.2 Les Africains, concernés mais pas mobilisés

1.2.1 *Une mémoire sacralisée à fleur de peau*

Paradoxalement, les débats houleux que connaît la France n'ont pas leur pareil en Afrique. Cela ne veut pas dire que l'esclavage ne constitue pas une plaie toujours vivace dans la *psyché* africaine. Que l'Afrique ait été victime d'une effroyable saignée, que l'esclavage et la traite soient la cause de son sous-développement, que « l'Occident blanc » soit responsable de ces crimes sont autant de dogmes qu'il est dangereux de remettre en cause. Stephen Smith en a fait l'expérience, qui a osé parler d'imposture au sujet de l'île de Gorée : les esclaves ayant transité par l'île n'auraient, selon lui, représenté qu'une part infime de l'ensemble de la traite atlantique et la demeure baptisée Maison des Esclaves, bâtie à l'usage de riches commerçants métis, n'aurait quant à elle jamais abrité d'esclaves de traite[24]. La

---

22. En fait, la loi Taubira n'offrait aucun fondement juridique susceptible d'entraîner la condamnation de Olivier Pétré-Grenouilleau. Cette loi, en effet, si elle qualifie la traite négrière transatlantique de crime contre l'humanité ne sanctionne pas pénalement leur contestation. C'est là une différence majeure avec la loi Gayssot du 13 juillet 1990 qui sanctionne le négationnisme de la Shoah. En revanche, le droit commun de la responsabilité (art. 1382 du Code civil) peut éventuellement sanctionner les manquements de l'historien à ses devoirs d'objectivité et de prudence (voir en ce sens l'arrêt du TGI de Paris du 21 juin 1995 contre Bernard Lewis qui avait contesté que les faits commis par l'Empire ottoman en 1910 contre les Arméniens constituent un génocide).

23. Voir l'entretien donné par Françoise Chandernagor sous le titre « Laissons les historiens faire leur métier ! » dans *L'Histoire*, n° 306, février 2006, pp. 77-85.

24. Stephen Smith, *Négrologie*, Calmann-Lévy, 2003, p. 87 (nous avons rendu compte de cet ouvrage dans *Politique étrangère*, 1/2004, printemps 2004, pp. 195-196).

publication en 1996 par le journal *Le Monde* d'un article dénonçant le « mythe » de la Maison des esclaves [25] avait déjà provoqué un beau tollé [26]. Un séminaire était immédiatement convoqué à Gorée pour, selon les termes de son initiateur, « *parer une tentative d'endormissement de la mémoire collective, une volonté révisionniste plus ou moins déclarée, un élan d'absolution unilatérale reposant sur de sommaires disquisitions journalistiques* » [27]. Les affirmations de Emmanuel de Roux ou de Stephen Smith contredisent en effet les vérités tenues pour acquises que le conservateur en chef de la Maison des esclaves, le charismatique Joseph Ndiaye, probablement l'un des Sénégalais les plus célèbres au monde, répète inlassablement : Gorée aurait été la plaque tournante de la traite qui aurait, directement ou indirectement, fait 200 millions de victimes [28]. Heureusement, certains esprits modérés rappellent que l'horreur de la traite n'est pas réductible à sa comptabilité et que Gorée constitue, au-delà de la querelle des chiffres, un lieu symbolique de mémoire classé au Patrimoine mondial de l'Unesco et visité par Jean-Paul II (1992), Bill Clinton (1998) ou George Bush (2003).

Le sentiment d'avoir été victime d'un crime inexpiable débouche naturellement sur l'exigence de sa réparation. Certains chefs d'État demandent réparation pour la traite dont leurs sociétés ont été victimes. Aucun n'a toutefois poussé la revendication aussi loin que le Président haïtien Aristide qui, en 2004, a présenté

---

25. Emmanuel de Roux, « Le mythe de la Maison des esclaves qui résiste à la réalité », *Le Monde*, 27 décembre 1996.

26. Une fois encore, Internet est le lieu privilégié de l'expression, parfois violente, de l'indignation que suscitent ces positions. Les plus modérés leur reprochent de minorer le traumatisme causé par la traite transatlantique en remettant en cause la place de Gorée dans ce trafic. Les plus extrêmes les accusent de révisionnisme, de racisme, de haine .... Les réactions suscitées par l'article de Christian Rioux intitulé « Le mythe de Gorée » publié dans *Le Devoir* de Québec en 2000 sont à ce titre emblématiques (voir http:// www.seneweb.com/discus/messages/6/426.html ?995452192).

27. Djibril Samb, « Discours d'ouverture », *Gorée et l'esclavage. Actes du Séminaire sur Gorée dans la traite atlantique (Gorée, 7-8 avril 1997)*, IFAN-CAD, Initiations et Études africaines, n° 38, p. 11.

28. Le chiffre des victimes de la traite varie considérablement selon que l'on prend en compte les seuls esclaves vendus aux Amériques ou si l'on y rajoute :
– les esclaves décédés durant le trajet,
– les Africains victimes des razzias des chasseurs d'esclaves,
– les enfants non nés des Africains tués ou déportés (le « trou démographique »).

sans rire à la France une facture de 21 685 155 571,48 dollars. La question des réparations soulève des problèmes délicats[29]. Comment évaluer le préjudice subi ? comment identifier les responsables : l'Occident est-il seul coupable ? les pays arabo-musulmans accepteront-ils de reconnaître leur responsabilité dans les traites orientales ? les Africains qui ont été les complices ou les agents des trafiquants étrangers ont-ils aussi une part de responsabilité ? à qui verser les éventuelles réparations : aux seuls descendants d'esclaves emportés hors d'Afrique ? aux Africains aussi, qui, par définition, n'ont pas été déportés en esclavage ? La question a été chaudement débattue lors de la conférence mondiale de l'ONU contre le racisme qui s'est tenue en septembre 2001 à Durban. Mais elle n'y a pas trouvé de solutions, nourrissant chez certains une fois encore le sentiment d'une injustice, d'un « deux poids deux mesures » – alors qu'à la même époque les actes de repentance pour les crimes commis contre la communauté juive durant la Seconde guerre mondiale se multipliaient. Rares sont les voix qui en Afrique, tel Abdoulaye Wade, dissocient le devoir de mémoire de la question des réparations et estiment que, si l'Occident a le devoir d'aider l'Afrique, cette exigence ne trouve pas son origine dans le « préjudice incalculable » qu'il lui a causée[30].

1.2.2 L'absence de débat en Afrique autour de l'esclavage

Si la mémoire de l'esclavage est à fleur de peau, partout sur le continent africain[31], l'indifférence de l'Afrique au « retour de mémoire » que vit actuellement la France ne laisse de surprendre. Le vote de la loi Taubira et les commémorations du 10 mai y sont passés inaperçus. La création du Cran est restée ignorée. L'affaire Pétré-Grenouilleau n'y a provoqué aucun commentaire[32]. Autant le discours de

---

29. Nadja Vuckovic, « Qui demande des réparations et pour quels crimes ? » in Marc Ferro (dir.), *Le livre noir du colonialisme*, Robert Laffont, 2003, pp. 1023-1056.

30. Discours du Président du Sénégal Abdoulaye Wade à la Conférence mondiale contre le racisme, la discrimination raciale, la xénophobie et l'intolérance qui y est associée, 1er septembre 2001, http://www.un.org/french/WCAR/pressreleases/dr_d14.htm.

31. Il faut toutefois se méfier des généralisations. La mémoire de l'esclavage n'est pas la même dans les États côtiers (Sénégal, Bénin, Ghana), où elle s'adosse à la traite atlantique, que dans l'hinterland (Burkina, Tchad, Niger) qui a pourtant fourni le gros des victimes de la traite (voir Ibrahima Thioub, *Regard critique sur les lectures africaines de l'esclavage et de la traite atlantique*, IIIe congrès de l'association des historiens africains, Bamako, septembre 2001, pp. 17-18).

32. Il faut, pour être honnête, reconnaître qu'en France même cette affaire n'a intéressé qu'un petit cercle d'initiés.

Dakar de Nicolas Sarkozy a provoqué une polémique, polarisant pendant plusieurs mois, voire plusieurs années, le débat, tant savant que populaire, autant la question de l'esclavage et de la traite ne fait pas de vague. Après la loi Taubira et la conférence de Durban, aucun État africain n'a modifié sa législation pour faire de l'esclavage et de la traite un crime contre l'humanité ou, *a fortiori*, pour sanctionner leur négation. Aucune commémoration n'est organisée – dont la création poserait la question, délicate, de l'événement à commémorer. Aucun musée, aucun lieu de mémoire n'est préservé – alors même qu'existe, notamment aux États-Unis, une demande pour les *Black History Tours*. Hormis quelques confidentiels travaux savants – au premier rang desquels il faut placer ceux de l'historien sénégalais Ibrahima Thioub – aucune réflexion n'est venue questionner le regard que l'Afrique porte sur son passé.

Pourquoi un tel désintérêt ? La réponse à une telle question n'est pas évidente. Le niveau d'éducation générale, la jeunesse de la population, le peu d'intérêt pour les querelles historiques, les difficultés de la recherche universitaire à diffuser ses travaux y ont sans doute leur part. Le malaise des Africains à prendre la mesure d'un drame dont ils furent les victimes et parfois aussi les auxiliaires ne doit en revanche pas être surestimé. Cet argument – que Nicolas Sarkozy a eu l'imprudence d'évoquer à Dakar – est balayé d'un revers de main en Afrique. « *Jamais dans toute l'histoire de l'humanité une nation n'en a opprimé une autre sans avoir bénéficié de la complicité voire du zèle des élites du pays conquis* » répond Boris Boubacar Diop au Président français qui a reproché aux Africains d'avoir « *vendu aux négriers d'autres Africains* » [33]. Tout compte fait, les Africains ne se sentent peut-être tout simplement pas concernés par ces questions là : qu'ils vivent à Paris – où les revendications mémorielles sont principalement portées par des Antillais, des Réunionais, des Guyanais mais pas par des Africains – ou en Afrique, l'esclavage ou la traite sont pour eux des questions anciennes qui les concernent certes, mais qui ne les mobilisent pas.

---

33. Boris Boubacar Diop, « Le discours impardonnable de Nicolas Sarkozy » in Catherine Coquio (dir.), *Retour du colonial ? Disculpation et réhabilitation de l'histoire coloniale*, L'Atalante, 2008, p. 148.

La Vénus hottentote [34]

La vie de Saartje Baartman, une femme noire originaire d'Afrique du Sud, exhibée à Londres puis à Paris entre 1810 et 1815, est emblématique de la manière dont les Européens considéraient les « races inférieures » au début du XIXe siècle. Avant même la formulation des théories évolutionnistes, les Bochimans et les Hottentots étaient considérés comme les plus vils représentants de l'espèce humaine, à peine supérieurs au singe. Georges Cuvier, professeur d'anatomie comparée, rend compte à l'Académie de médecine en ces termes du résultat de ses observations :

> « Ses mouvements avaient quelques chose de brusque et de capricieux qui rappelait ceux du singe. Elle avait surtout une manière de faire saillir ses lèvres tout à fait pareille à ce que nous avons observé dans l'orang-outan (…) Je n'ai jamais vu de tête humaine plus semblable aux singes que la sienne ».

Mais le succès de la Vénus hottentote ne tient pas seulement à son animalité présumée. Elle est devenue une bête de foire dans les « cabinets de curiosités » anglais puis français en raison de sa sensualité obscène : hypertrophie des hanches et des fesses, organes génitaux protubérants. Son corps nu, exhibé au regard de tous, produisait un mélange de fascination et de répulsion à une époque où la nudité était encore un tabou. Stephen Jay Gould a pu écrire à son sujet :

> « La combinaison de sa bestialité supposée et de la fascination lascive qu'elle exerçait sur les hommes retenait toute leur attention ; ils avaient du plaisir à regarder Saartjie mais ils pouvaient également se rassurer avec suffisance : ils étaient supérieurs » [35].

Mais Saartje Baartman symbolise aussi la nouvelle attitude revendicative des peuples autochtones qui n'hésitent pas à réclamer les biens humains et symboliques éparpillés dans les musées des anciennes puissances coloniales.

Après la fin de l'apartheid, en effet, l'ethnie des Khoisan demande officiellement à Nelson Mandela que leur soit restituée la dépouille de Sartjie Baartman. Des premières négociations sont engagées avec la France qui fait d'abord valoir l'inaliénabilité des collections nationales et l'intérêt scientifique de la dépouille. Les deux arguments s'avèrent vite de peu de poids. D'une part, les restes humains de Saartje Baartman ne peuvent faire l'objet d'un droit patrimonial et ne peuvent dans cette mesure être intégrés au domaine public. D'autre part, le squelette de Saartje Baartman, pas plus que le moulage fait de son corps après sa mort, ne s'avèrent présenter un quelconque intérêt scientifique.

Aussi, c'est après le vote de la loi n° 2002-323 du 6 mars 2002 – juridiquement superfétatoire – que la dépouille de la Vénus hottentote est officiellement restituée à l'Afrique du Sud pour y être incinérée conformément aux rites de son peuple.

---

34. Voir sur le sujet Gérard Badou, *L'énigme de la Vénus hottentote*, Jean-Claude Lattès, 2000.
35. Stephen Jay Gould, *Le sourire du Flamant rose*, Le Seuil, 1988.

2   LA COLONISATION EN PROCÈS [36]

Ce qui vient d'être dit pour l'esclavage et la traite vaut plus encore pour la mémoire coloniale.

2.1   La résurgence conflictuelle en France de mémoires divergentes

2.1.1 *De la nostalgie coloniale à la « fracture coloniale »*

Après les indépendances, la France a violemment tourné le dos à son passé colonial. Pendant « quarante années d'occultation » [37], à la notable exception de l'ouvrage remarquable de Raoul Girardet *L'idée coloniale en France* (La Table Ronde, 1972), le silence se fait sur l'histoire coloniale hexagonale. Cela ne signifie pas que les historiens, les géographes, les anthropologues ne s'intéressent pas à l'Afrique, à sa colonisation, à sa décolonisation, mais que les savoirs accumulés sur la colonisation et le colonialisme n'ont guère d'impact sur la construction d'une mémoire collective. Tout se passe comme si ces questions restaient extérieures à la France, ne la concernaient pas : on s'intéresse à ce qui a été fait dans les colonies mais pas au fait que ce soit la France qui l'ait fait. L'histoire coloniale s'écrit, mais en marge de l'histoire nationale : parmi les 133 articles que comptent *Les Lieux de Mémoire* de Pierre Nora un seul est consacré à la question coloniale [38].

Ce phénomène d'oubli voire de déni n'est pas sans similarité avec celui qui a longtemps marqué l'histoire de Vichy. Comme le débat sur la collaboration sous Vichy qui s'est ouvert grâce à un historien américain, Robert Paxton, le débat sur la

---

36. Tel est le titre du numéro spécial de la revue *L'Histoire* en octobre 2005 (n° 302).

37. Nicolas Bancel, Pascal Blanchard, Sandrine Lemaire, « La fracture coloniale : une crise française » in Nicolas Bancel, Pascal Blanchard, Sandrine Lemaire (dir.), *La fracture coloniale. La société française au prisme de l'héritage colonial*, La Découverte, 2005, pp. 11-12.

38. Rédigé en 1984, l'article de Charles-Robert Ageron sur l'Exposition coloniale de 1931 conclut à l'échec de cette manifestation alors que l'historiographie plus récente montre au contraire combien cet événement, qui a attiré plus de huit millions de visiteurs, a cimenté l'opinion populaire autour de l'idée impériale (Pascal Blanchard, « L'union nationale : la "rencontre" des droites et des gauches autour de l'Exposition coloniale (1931) » in *Culture coloniale en France,* op. cité, pp. 269-286).

colonisation a eu besoin du regard extérieur d'un autre historien américain, Herman Lebovics pour se libérer. Dans un ouvrage publié en 1992 et traduit en 1995 [39], il montre que la société française a vécu au quotidien dans un bain colonial qui a durablement influencé son regard sur l'Autre et sa manière de le traiter. Il revient aux membres de l'Achac (Association pour la connaissance de l'histoire de l'Afrique contemporaine) d'avoir retracé la généalogie et les modalités de déploiement de cette « culture coloniale » qui fait partie pendant près d'un siècle de l'environnement ordinaire des Français [40]. Portée par l'extraordinaire pouvoir de séduction de l'exotisme colonial [41], cette culture est diffusée par un ensemble de discours qui promeuvent l'idée de « la plus Grande France » et créent rapidement un consensus national dont le succès de l'Exposition coloniale de 1931 à Vincennes constitue le point d'orgue [42]. C'est également une culture au quotidien dont on retrouve la trace aussi bien dans les jeux d'enfants que dans la publicité [43], la littérature populaire [44], la chanson [45], le théâtre [46], le cinéma [47].

39. Herman Lebovics, *True France, The Wars Over Cultural Identities, 1900-1945*, Cornell University Press, 1992 (*La "vraie France". Les enjeux de l'identité culturelle, 1900-1945*, Belin, 1995).

40. Pascal Blanchard & Sandrine Lemaire (dir.), *Culture coloniale (1871-1931)*, Autrement, 2003 ; Pascal Blanchard & Sandrine Lemaire (dir.), *Culture impériale (1931-1961)*, Autrement, 2004.

41. Roger-Henri Guerrand, « Les mirages de l'exotisme », in *Le temps des colonies*, Les collections de l'Histoire, H.S. n° 11, avril 2001, p. 44.

42. Catherine Hodeir & Michel Pierre, *1931 L'exposition coloniale*, Complexe, 1991.

43. Nicolas Bancel, « Le bain colonial : aux sources de la culture coloniale populaire (1918-1931) », in *Culture coloniale en France*, op. cité, pp. 247-257.

44. Alain Ruscio, *Le credo de l'homme blanc. Regards coloniaux français, XIXe-XXe siècles*, Complexe, 1996.

45. Alain Ruscio, *Que la France était belle au temps des colonies. Anthologie de chansons coloniales et exotiques françaises*, Maisonneuve & Larose, 2001.

46. Sylvie Chalaye, *L'image du Noir au théâtre de Marguerite de Navarre à Jean Genet (1550-1960)*, L'Harmattan, 1998.

47. Pierre Boulanger, *Le cinéma colonial de L'Atlantide à Lawrence d'Arabie*, Seghers, 1975.

Y'a bon Banania

Le chocolat Banania n'est pas d'origine africaine. Boisson faite de farine, de banane, de cacao, de céréales et de sucre, il a été rapporté du Nicaragua en 1912 par Pierre Lardet, qui dépose la marque et commercialise le produit en 1914 à Courbevoie. Le premier symbole est une femme martiniquaise ; mais le célèbre tirailleur sénégalais est rapidement adopté en 1915. C'est le dessinateur Andreis qui dessine alors ce personnage qui deviendra l'emblème de la marque. Dans cette première affiche on trouve les trois couleurs qui resteront emblématiques jusqu'à aujourd'hui. Le fond jaune qui rappelle la banane, le rouge et le bleu l'uniforme des tirailleurs.

Selon la légende, le slogan proviendrait d'un tirailleur sénégalais blessé au front et embauché dans l'usine de Courbevoie. Goûtant le produit il aurait déclaré « Y'a bon ».

Banania connaît un grand succès pendant la guerre auprès des soldats, puis auprès des familles et surtout des enfants. Pierre Lardet est toutefois évincé de la direction de l'entreprise en 1924 par un riche hôtelier, Albert Viallat, dont la famille en tiendra les rênes pendant un demi-siècle. La boisson énergisante détient au lendemain de la Seconde guerre mondiale 80 % des parts de marché de la boisson chocolatée. Mais la concurrence arrive : Poulain, Nesquick, Benco, Suchard et Phoscao Ovomaltine commencent à lui faire de l'ombre. Le tirailleur sénégalais, dont la première version date de 1915, est modifié en 1957 par le célèbre affichiste Hervé Morvan. Dix ans plus tard, un nouveau dessin, simplifié à l'extrême, le ramène à la dimension d'un écusson. Dans les années 1970-80, sa place se réduit encore. Le slogan « Y'a bon » disparaît en 1977 [48].

Perçu par les uns comme une représentation bon enfant, le tirailleur sénégalais est pour les autres une insulte raciste. En 1948, le futur président sénégalais Leopold Sedar Senghor déclare, dans *Hosties noires*, vouloir déchirer « les rires Banania sur tous les murs de France ». En 2005, le collectif des Antillais, Guyanais et Réunionnais (collectif Dom) assigne en justice la société Nutrimaine, propriétaire de la marque. Ils lui reprochent de continuer à utiliser « des clichés insultants pour les personnes de couleur noire [qu'elle] présente comme peu éduquées, s'exprimant de manière primaire et à peine capables d'aligner trois mots en français ». En 2006, Nutrimaine accepte de retirer le tirailleur de ses produits.

L'incapacité de la France à regarder son passé en face trouve une éclairante illustration dans la façon dont elle présente – ou plutôt dont elle échoue à présenter – l'histoire de la colonisation. Il est vrai que le défi est immense : « *comment concilier les attentes des anciens colons, les demandes mémorielles des descendants des peuples coloni-*

---

48. Jean Garrigues, *Banania. Histoire d'une passion française*, Éditions du May, 1991.

sés et celles du grand public » se demande Robert Aldrich dans un article au titre éloquent : « Le musée colonial impossible » [49]. Le musée de l'Homme, installé dans le palais de Chaillot, était, à sa création en 1938 avant-gardiste : rompant avec la tradition malsaine des cabinés de curiosités, il avait pour ambition une présentation scientifique et ordonnée des cultures non européennes qui mette l'accent sur la vie quotidienne et ses manifestations matérielles. Le musée de la France d'outre-mer a été, lui, créé à l'occasion de l'Exposition internationale de 1931 à la Porte Dorée. Il se veut la glorification de l'œuvre civilisatrice de la France. Aux indépendances il est rebaptisé Musée des arts africains et océaniens (MAAO) mais sombre dans un lent déclin.

L'ouverture en 2006 du musée du Quai-Branly, qui a bénéficié de l'engouement du Président Chirac pour les « arts premiers », donne à l'Afrique et à son histoire une vitrine de premier choix. Salué dans le monde entier, il suscite un véritable engouement populaire. Mais il ne s'agit ni d'un musée des colonies (l'art de l'Afrique subsaharienne coexiste avec celui de l'Amérique précolombienne et de l'Océanie), ni *a fortiori* d'un musée de la décolonisation. L'approche muséographique hésite entre l'esthétisme et l'ethnologie (faut-il exposer un objet pour sa « beauté » ou pour ce qu'il nous dit de la vie de ceux qui l'ont utilisé ?) mais tourne le dos à l'histoire. Un autre musée national a ouvert ses portes en 2007. Il est dédié à l'immigration et à son histoire. Il s'installe dans les murs de l'ancien musée des colonies, Porte Dorée, ce qui n'est pas allé sans provoquer des débats. Toujours est-il que la France n'est toujours pas dotée d'un musée de la colonisation alors que d'autres pays ont récemment ouvert de tels musées : le musée d'Ellis Island à New York, le *Tropenmuseum* d'Amsterdam, le *Museum of the British Empire and Commonwealth* de Bristol, sans parler de la rétrospective sur le Congo belge organisée au musée royal de l'Afrique centrale de Tervuren près de Bruxelles en 2005. L'absence d'un lieu d'expression d'une mémoire consensuelle entraîne la multiplication des initiatives locales. Dans le Sud de la France en particulier, pour répondre à des demandes d'associations de rapatriés d'Algérie, des projets sont évoqués, qui devraient mettre en valeur la présence coloniale française : un musée d'histoire de la France en Algérie à Montpellier, un mémorial de la France d'outre-mer à Marseille. Il n'est pas évident que l'ouverture de ces musées, si elle a lieu, participe à la construction d'une mémoire apaisée.

Cette occultation du passé colonial de la France a provoqué une « fracture coloniale ». L'expression, vulgarisée par les chercheurs de l'Achac et passée dans le

---

49. In *Culture coloniale en France*, op. cité, p. 554.

vocabulaire courant, dénonce le déficit très net dont souffre l'enseignement en France de l'histoire coloniale. À partir d'une enquête réalisée à Toulouse, les auteurs de *La fracture coloniale*[50] démontrent tout à la fois une connaissance très faible du passé colonial de la France, marquée par la persistance de stéréotypes racistes, et une attente très forte, surtout chez les enfants d'immigrés, d'un enseignement de l'histoire coloniale et aussi d'une socialisation de la mémoire coloniale. Ils expliquent ce déni par le refus de la République d'avouer la trahison de ses valeurs. Ils pointent les dangers de cette relégation :

> « *La négation de la fracture coloniale ne peut qu'accroître la révolte, le sentiment de relégation et, finalement, la "haine"[51] des représentants de la troisième génération sur le sol français. Privés de leurs origines, niés dans leur histoire, ils se retrouvent aux marges d'une société qui ne veut pas se retourner sur les raisons pour lesquelles ces immigrés sont ici* »[52].

Car la fracture coloniale risque de se muer en fracture sociale. Les discriminations dont sont victimes en France les immigrés issus des anciennes colonies seraient la manifestation d'une « postcolonialité »[53]. La fracture – sociale – cache en fait une continuité : « la société française, encore aujourd'hui, est traversée de part en part par les effets de la colonisation, d'autant plus pernicieux et puissants qu'ils sont niés »[54]. Ainsi les banlieues sont traitées, selon l'expression du sociologue Didier Lapeyronnie, comme un « théâtre colonial »[55] où l'on a la maladresse d'appliquer en novembre 2005 une loi sur l'état d'urgence votée en 1955 pour s'appliquer en Algérie[56]. Ainsi la politique d'intégration serait ni plus ni moins que la « réactualisation euphémisée du vieux projet assimilationniste »[57]. Ainsi la constitution du Conseil

---

50. Nicolas Bancel, Pascal Blanchard, Sandrine Lemaire (dir.), *La fracture coloniale. La société française au prisme de l'héritage colonial*, op. cité.

51. L'allusion au film de Matthieu Kassovitz « La haine », César du meilleur film 1995, est transparente.

52. Nicolas Bancel & Pascal Blanchard, « Comment en finir avec la fracture coloniale », *Le Monde*, 17 mars 2003.

53. Achille Mbembe, *De la postcolonie. Essai sur l'imagination politique dans l'Afrique contemporaine*, Karthala, 2000.

54. Nicolas Bancel & Pascal Blanchard, op. cité.

55. « La banlieue comme théâtre colonial ou la fracture coloniale dans les banlieues » in *La fracture coloniale*, op. cité, pp. 209-218.

56. Gabriel Périès, « Normativité de l'"état d'exception" dans la période postcoloniale » in *Retour du colonial ?*, op. cité, pp. 79-102 ; Mathieu Rigouste, *L'ennemi intérieur. La généalogie coloniale et militaire de l'ordre sécuritaire dans la France contemporaine*, La Découverte, 2009.

57. Vincent Geisser, « L'intégration républicaine : réflexion sur une problématique postcoloniale (1961-2001) » in *Culture coloniale en France*, op. cité, p. 614.

français du culte musulman par le ministère de l'intérieur serait-elle la remise à jour des mécanismes coloniaux de la gestion de l'islam [58].

2.1.2 *Appel des Indigènes vs. « rôle positif » de la colonisation*

L'appel pour les assises de l'anti-colonialisme post-colonial lancé le 19 janvier 2005 par des « descendants d'esclaves et de déportés africains, filles et fils de colonisés et d'immigrés » se définissant eux-mêmes comme des « indigènes de la République » s'inscrit très précisément dans cette tendance. Les signataires de ce texte militant entendent dénoncer des discriminations économiques (le chômage de masse, la discrimination à l'embauche), spatiales (la relégation dans les banlieues [59]), culturelles (le racisme persistant), religieuses (l'assimilation de l'islam au terrorisme), politiques (les rares élus noirs cantonnés au rôle de « black » de service [60]) qui seraient, selon eux, d'origine coloniale. « *La France a été un État colonial* », rappellent-ils ; « *la France reste un État colonial [qui relègue] les enfants de ces colonies (…) au statut d'immigrés, de Français de seconde zone* » [61]. Refusant que les « minorités visibles » soient encore traitées comme des colonisés, ils revendiquent une indispensable « décolonisation de la République ».

Cet appel ne passe pas inaperçu. On lui reproche de miner le modèle français d'intégration, de faire le lit du communautarisme et de favoriser la dissolution de la communauté nationale. La typologie de cette « offensive réactionnaire » qui, selon les termes mêmes de l'appel des Indigènes, traverse tous les partis politiques français est éclairante. La droite n'en a pas le monopole [62]. Anticolonialiste militant durant la guerre d'Algérie passé à l'ultra-républicanisme, Jean-Pierre Chevènement écrit en 2001 :

---

58. Anna Bozzo, « Islam et République : une longue histoire de méfiance » in *La fracture coloniale*, op. cité, pp. 75-82.

59. Eric Maurin, *Le ghetto français. Enquête sur le séparatisme social*, Seuil, 2005.

60. Benoît Hopquin, « La politique, un monde de blancs », *Le Monde*, 29 octobre 2008 ; Jean-Baptiste Marot, « À quand un Obama français ? », *Jeune Afrique* n° 2495, 2-8 nov. 2008, p. 56 ; Sylvain Courage, Sophie Des Déserts, Jacqueline de Linarès et Maël Thierry, « Demain un Obama français ? », *Le Nouvel Observateur*, n° 2297, 13-19 nov. 2008, p. 44.

61. L'appel des Indigènes de la République est accessible sur Internet, notamment à l'adresse suivante : http://multitudes.samizdat.net/Appel-pour-les-Assises-de-l-anti.

62. Voir par exemple Jean Daniel, « L'anticolonialisme comme alibi », *Le Monde*, 26 mars 2005.

« *On ne peut juger la période coloniale en ne retenant que son dénouement violent mais en oubliant l'actif et, en premier lieu, l'école, apportant aux peuples colonisés, avec les armes de la République, les armes intellectuelles de leur libération* » [63].

D'autres voix à gauche s'inquiètent d'une montée des communautarismes. Tout en reconnaissant le racisme dont sont victimes les Indigènes de la République, Jacques Julliard, Alain Finkielkraut et Bernard Kouchner estiment que « l'anti-racisme ne se divise pas » et prennent une position critiquée en lançant, suite aux manifestations de lycéens de mars 2005, un appel contre le « racisme anti-Blanc ». Les dérives antisémites de certains « Indigènes » – pourtant dénoncées avec vigueur par les plus modérés d'entre eux – leur valent l'hostilité des anti-judéophobes. La communauté juive ne s'est pas engagée comme elle l'avait fait aux États-Unis dans les années 1950-60 aux côtés des Noirs de France dans leur lutte contre les discri-minations. Les amalgames douteux de Dieudonné [64], l'assassinat antisémite début 2006 de Ilan Halimi par un gang dirigé par un jeune Français d'origine ivoirienne ont exacerbé les tensions. Esther Benbassa, par exemple, accepte que la mémoire de la Shoah puisse servir d'exemple aux groupes qui, à juste titre, demandent que leur souffrance soit prise en compte ; mais elle désapprouve la « surenchère victimaire » qui conduit ces mêmes groupes à croire que leur souffrance ne sera reconnue qu'à condition de minorer la mémoire de celle des autres [65].

Des organisations militantes d'extrême gauche (LCR, Lutte ouvrière, Attac) se divisent sur l'Appel des Indigènes. Elles estiment qu'il « rejoint une quête des origi-nes qui, pour être à la mode, n'en tend pas moins à ethniciser ou à confessionnali-ser les conflits politiques » [66]. Cette gauche-là estime que la « question sociale » n'a rien perdu de sa pertinence et que lui substituer une « question raciale » est erroné et dangereux [67]. Cette position est emblématique du malaise de la gauche à nommer les réalités raciales sans stigmatiser les groupes qu'elles désignent.

---

63. Cité par Nicolas Bancel, Pascal Blanchard, Sandrine Lemaire in *La fracture coloniale*, op. cité, p. 20.

64. Olivier Mongin, « L'affaire Dieudonné et la place de la communauté noire en France », *Esprit*, décembre 2005, pp. 142-146.

65. Esther Benbassa, *La souffrance comme identité*, Fayard, 2007.

66. Communiqué de la Ligue communiste révolutionnaire, 3 mars 2005, cité par Romain Ber-trand in « La mise en cause(s) du "fait colonial" », *Politique africaine*, n° 102, juin 2006, p. 45.

67. Voir les débats qui ont accueilli la publication de l'ouvrage collectif *De la question sociale à la question raciale*, Didier Fassin & Eric Fassin (dir.), La Découverte, 2006.

L'ethnicisation des rapports sociaux risque, à ses yeux, non pas d'être combattue mais au contraire de sortir renforcée de la « discrimination positive », des « statistiques ethniques » ou de tout autre dispositif public qui, au nom de la promotion des minorités visibles, risquerait en fait d'aggraver les discriminations. Pour Achille Mbembe, cette attitude révèle l'impasse dans laquelle se trouve le modèle républicain :

> « À force de tenir pendant si longtemps le "modèle républicain" pour le véhicule achevé de l'inclusion et de l'émergence à l'individualité, l'on a fini par faire de la République une institution imaginaire et à en sous-estimer les capacités originaires de brutalité, de discrimination et d'exclusion » [68].

Mais c'est à droite évidemment que cette nostalgie coloniale est la plus prégnante. De ce côté-là de l'échiquier politique, c'est moins la République que la Nation qui est mise en danger. La fierté d'être Français [69] s'accommode mal de la reconnaissance des crimes commis. Elle s'accommode moins encore de la repentance qu'on exige d'elle. Daniel Lefeuvre, spécialiste de l'histoire économique de la colonisation, veut en finir avec la « repentance coloniale » dans un pamphlet dont Olivier Pétré-Grenouilleau a fait une recension bienveillante dans *Le Monde des livres* [70]. Pascal Bruckner qui, vingt-cinq ans plus tôt, avait déjà jeté un pavé dans la mare en moquant le « sanglot de l'homme blanc » récidive en 2007 en dénonçant la « tyrannie de la pénitence » et le « masochisme occidental » [71]. Dans une posture qui n'est pas sans analogie avec celle outre-Rhin revendiquant le droit de « tirer un trait » sur l'Holocauste, Pascal Bruckner demande que cesse le ressassement du passé. Elle doit d'autant plus être prise en compte qu'elle est devenue celle de Nicolas Sarkozy, durant la campagne présidentielle (Cf. *supra* p. 78 les extraits de son discours de Lyon) et, dans une version édulcorée, dans le discours de Dakar.

---

68. Achille Mbembe, « La République et l'impensé de la "race" » in *La fracture coloniale*, op. cité, p. 139.

69. Max Gallo, *Fier d'être français*, Fayard, 2006.

70. Daniel Lefeuvre, *Pour en finir avec la repentance coloniale*, Flammarion, 2006 (nous avons rendu compte de cet ouvrage dans la *Revue internationale et stratégique*, n° 66, été 2007, pp. 155-156).

71. *Le sanglot de l'homme blanc*, Le Seuil, 1983 ; *La tyrannie de la pénitence. Essais sur le masochisme* occidental, Grasset, 2007.

Un mois à peine après l'appel des Indigènes de la République, à l'initiative de quelques députés proches de la communauté « pied noire », est votée la loi du 23 février 2005, dite loi Mekachera. Son article 4 qui fait obligation aux programmes scolaires de reconnaître « le rôle positif de la présence française outre-mer, notamment en Afrique du Nord » met le feu aux poudres[72]. Les initiateurs de ce texte auront beau se défendre en arguant que l'enseignement des aspects positifs de la colonisation n'interdit pas celui de ses aspects négatifs, cette loi est, au mieux, une maladresse, au pire une provocation de la part de ceux qui entretiennent une certaine « nostalgie coloniale ». Elle entraîne une bronca dans la communauté des historiens qui refusent cette nouvelle « loi mémorielle » accusée d'imposer « une histoire officielle » contraire à la neutralité scolaire et au respect de la liberté de pensée[73].

La querelle autour de la loi du 23 février 2005 dure toute une année. Elle se termine piteusement. L'Assemblée nationale ayant rejeté une proposition de loi tendant à l'abrogation de l'article 4, c'est au pouvoir exécutif qu'il revient de l'abroger, le 15 février 2006, après que le Conseil constitutionnel en a constaté le caractère réglementaire. Cette polémique a eu le mérite de provoquer une prise de conscience dont témoigne la floraison de numéros spéciaux de revues ou d'émissions de télévision sur le sujet[74]. Avec vingt ans de retard, la France découvre à

---

72. Pierre Boilley, « Loi du 23 février 2005, colonisation, indigènes, victimisation. Évocations binaires, représentations primaires » in *Politique africaine*, n° 98, juin 2005 ; Romain Betrand, *Mémoires d'empire. La controverse autour du "fait colonial"*, Éditions du Croquant, 2006.
73. Claude Liauzu, qui fut à l'origine de la pétition du 25 mars 2005, revient sur l'histoire de cette mobilisation dans l'ouvrage publié en 2006 sous sa direction chez Syllepse *La colonisation, la loi et l'histoire*.
74. Dans une littérature désormais pléthorique, on se bornera à citer les dossiers que quelques revues françaises ont récemment consacrés à cette thématique :
 – « La vérité sur la colonisation », *Le Nouvel Observateur*, 8-14 décembre 2005,
 – « Postcolonialisme et immigration », *ContreTemps*, n° 16, janvier 2006,
 – « La question coloniale », *Hérodote*, n° 120, 1er trimestre 2006,
 – « Relectures d'histoires coloniales », *Cahiers d'histoire*, n° 99, avril-mai-juin 2006,
 – « Faut-il être postcolonial ? », *Labyrinthe*, n° 24, mai 2006,
 – « Colonies, un débat français », *Le Monde 2*, mai 2006,
 – « Empire et colonialité du pouvoir » et « Le postcolonial et l'histoire », *Multitudes*, n° 26, automne 2006,
 – « Ruptures sociales, ruptures raciales », *Lignes*, n° 21, novembre 2006,
 – « Pour comprendre la pensée postcoloniale », *Esprit*, n° 330, décembre 2006,
 – « Qui a peur du postcolonial ? Dénis et controverses », *Mouvements*, n° 51, 2007/3,
 – « Retours sur la question coloniale » n° 165, *Cultures Sud*, juin 2007.

cette occasion les *post-colonial studies* dont l'objet est de débusquer les séquelles de la colonisation dans les ex-colonies et dans les ex-métropoles[75]. À l'instar de la mémoire de l'esclavage, l'histoire de la colonisation constitue, elle aussi « un passé qui ne passe pas »[76].

2.2 Les crimes oubliés de la colonisation

Ces débats intéressent peu l'Afrique noire. Ainsi le vote de la loi du 23 février 2005 n'y a pratiquement eu aucun écho. En revanche, il a gravement nui à la relation franco-algérienne. Après que le FLN a dénoncé « une vision rétrograde de l'histoire » et le président Bouteflika « une cécité mentale confinant au négationnisme et au révisionnisme », la signature du traité d'amitié franco-algérien dont la négociation était pourtant bien engagée a été reportée *sine die*. Rien de tel en Afrique subsaharienne ce qui, à y bien réfléchir, n'est pas si surprenant : la loi du 23 février 2005 concerne avant tout l'Afrique du Nord, et plus particulièrement l'Algérie.

Cela ne signifie pas pour autant que la colonisation ne constitue pas un abcès de fixation en Afrique noire. On aura du mal à trouver grand'monde qui en vante les aspects positifs. Qui s'aventurerait à le faire se heurterait aussitôt à un feu nourri de critiques. Nicolas Sarkozy en a fait l'expérience qui, on l'a vu (Cf. *supra* p. 80), est pourtant allé assez loin dans la reconnaissance des crimes commis. La ligne officielle française, qui consiste à reconnaître voire à s'excuser pour les crimes les plus graves (massacres dans le Constantinois en mai 1945, répression à Madagascar en 1947) tout en tentant d'exonérer la grande masse des « hommes de bonne volonté [qui] croyaient remplir une mission civilisatrice », ne passe pas.

La mémoire de la colonisation se cristallise sur des faits précis qui refont régulièrement surface et constituent autant d'accusations adressées à l'ancien colonisateur.

---

75. Yves Gounin, « Que faire des postcolonial studies ? », *Revue internationale et stratégique*, n° 71, automne 2008, pp. 145-149.

76. À une moindre échelle, l'Allemagne a aussi vécu un tel débat autour de la célébration du centenaire du génocide des Herero en Namibie en 2004. L'Allemagne a reconnu sa culpabilité dans les crimes commis mais s'est refusée à verser des réparations aux descendants des victimes. Une controverse historique (*Historikerstreit*) s'est développée sur la relation entre ce génocide colonial et l'Holocauste (voir Reinhardt Kössler, « La fin d'une amnésie ? L'Allemagne et son passé colonial depuis 2004 », *Politique africaine*, n° 102, juin 2006, pp. 50-66).

2.2.1 *Violences physiques*

Première accusation : le colonisateur a commis en Afrique noire des crimes odieux. Le moindre ne fut pas le recours systématique au travail forcé par les sociétés concessionnaires en Afrique équatoriale[77]. La compagnie forestière Sangha-Oubangui (la « compagnie pordurière » du *Voyage au bout de la nuit* de Louis-Ferdinand Céline) est restée de sinistre mémoire. C'est après l'avoir visité que André Gide publie en 1927 son *Voyage au Congo* dans lequel il dénonce les traitements inhumains infligés aux récolteurs de caoutchouc. Deux ans plus tard, Albert Londres dénonce dans *Terre d'Ebène* les conditions de la construction du chemin de fer Congo-Océan qui causa la mort de 20 000 indigènes.

Les massacres commis par l'autorité militaire sont aussi évoqués, l'accusation portant autant sur leur existence même que sur le fait qu'ils aient été oubliés. L'affaire Voulet-Chanoine est récemment ressortie de l'oubli grâce au téléfilm *Capitaines des ténèbres* qu'en a tiré Serge Moati en 2006[78]. En mai 1898, le capitaine Voulet et le lieutenant Chanoine s'étaient vu confier par le ministre des colonies la direction d'une mission chargée de parvenir aux bords du lac Tchad afin d'assurer à la France le contrôle du cœur de l'Afrique. Les deux jeunes officiers sont l'un comme l'autre partisans de la manière forte. La colonne fait montre d'une violence meurtrière tout au long de sa progression, brûlant les villages qui lui refusent l'approvisionnement, exécutant les guides qui ne lui indiquent pas le bon chemin, capturant les femmes qui sont données aux tirailleurs. La dérive sanguinaire des deux officiers – qui n'est pas sans rappeler celle du héros de *Au cœur des ténèbres* de Joseph Conrad dont est inspiré le personnage de Marlon Brando dans *Apocalyspe Now* – finit par alerter Paris qui lance une mission à sa poursuite. Mais lorsque le lieutenant-colonel Klobb finit par renouer le contact en juillet 1899, il est tué dans les combats qui l'opposent aux soldats commandés par Voulet et Chanoine. Les deux officiers trouvent la mort quelques jours plus tard lorsqu'une mutinerie éclate parmi leurs hommes[79].

---

77. Catherine Coquery-Vidrovitch, « Le pillage de l'Afrique équatoriale », *L'Histoire*, n° 3, juillet-août 1978, pp. 43-52.
78. L'affaire Voulet-Chanoine avait fait en 1986 l'objet d'un film intitulé *Sarraouina* du cinéaste mauritanien Med Hondo.
79. Michel Pierre, « L'affaire Voulet-Chanoine », *L'Histoire*, n° 69, juillet 1984, pp. 67-71.

Plus près de nous, la décolonisation soi-disant pacifique de l'Afrique noire a occulté certains « massacres oubliés »[80]. La répression de l'insurrection de Madagascar en 1947 – que le Président Chirac a jugé « inacceptable » lors de sa visite officielle dans la Grande Ile en juillet 2005 – a durablement marqué les esprits. Pourtant, son histoire est mal connue, tiraillée entre ceux qui en exagèrent la gravité – vulgarisant le nombre de 100 000 morts là où la fourchette la plus réaliste oscille entre 30 et 40 000 – et ceux qui la réduisent à une simple jacquerie. La même opacité entoure la guérilla qui a ensanglanté le Cameroun entre 1955 et 1959 : « *pour être oublié en France, l'épisode a durablement marqué la mémoire collective au Cameroun où circulent encore les chiffres les plus fantaisistes sur l'ampleur de la répression* »[81].

2.2.2 Pillage économique

Seconde accusation : Les colonies ont été exploitées pour le seul bénéfice de la métropole. Les promoteurs de la colonisation, à l'instar de Jules Ferry ou de Paul Leroy-Beaulieu, ont beau mettre en avant la mission civilisatrice de la France, les conquêtes coloniales n'ont guère été altruistes. Une « économie de traite » se met en place selon l'expression du géographe Jean Dresch : les colonies exportent les matières premières dont la métropole a besoin (cacao, arachide, caoutchouc…) sans volonté de les transformer sur place ni de ménager les écosystèmes et doivent importer les biens de consommation et les biens manufacturés que la métropole leur vend à l'abri de ses barrières douanières. L'espace africain est organisé pour faciliter cette extraversion. Il en porte aujourd'hui encore la trace : les États sont des corridors (Ghana, Togo, Bénin, Congo) et les capitales des ports construits au point d'aboutissement des voies ferrées drainant les produits de l'intérieur, souvent excentrés par rapport aux territoires qu'ils sont censés contrôler (ainsi de Lomé ou d'Abidjan).

Pour autant, la reconnaissance de « l'égoïsme » du colonisateur ne signifie pas *ipso facto* que les colonies aient été pour lui « une bonne affaire » ni que la colonisation soit seule responsable du sous-développement de l'Afrique. La première

---

80. Voir le dossier « Les massacres oubliés de la colonisation » de la revue *L'Histoire*, n° 318, mars 2007.
81. Bernard Droz, « Les trous de la mémoire coloniale », *L'Histoire*, op. cité, p. 34.

question a été examinée par l'historien Jacques Marseille. Lorsqu'il commence sa thèse d'État, au début des années 1970, ce lecteur de Lénine pense démontrer, chiffres à l'appui, que l'impérialisme est bien « le stade suprême du capitalisme »[82]. Mais ses travaux révèlent la médiocre rentabilité des colonies[83]. Leur conquête n'a certes coûté à la France qu'une bouchée de pain ; en revanche la pacification et l'occupation se sont avérées plus coûteuses. Pendant longtemps, les colonies se sont autofinancées, la loi du 13 avril 1900 leur faisant obligation d'équilibrer leurs budgets de fonctionnement et d'investissement – ce qui plaça durablement les colonies dans une situation de sous-capitalisation critique. Mais cette situation changea après la Seconde Guerre mondiale où la France investit dans ses colonies plus de deux fois le montant des aides reçues au titre du plan Marshall. Jacques Marseille montre surtout que les colonies, où des industries françaises médiocrement compétitives (textile, habillement, chaussure...) bénéficiaient d'une chasse gardée, constituèrent finalement un facteur de sclérose et de routine. La seconde question a été l'objet de chaudes controverses durant les années qui ont immédiatement suivi les indépendances. L'opinion dominante professe aujourd'hui que si la colonisation a mis brutalement l'Afrique en contact avec la civilisation technicienne occidentale provoquant un choc dont les répliques se font toujours sentir, elle n'est pas – et, les années passant, elle sera de moins en moins – la cause unique au sous-développement.

Toute la question est de savoir la place qu'on donne à ces crimes – et à leur déni plus ou moins assumé – dans le débat actuel. Stephen Smith n'a pas de mot assez dur pour dénoncer le repli victimaire des Africains dans le « liquide amniotique de leur authenticité »[84]. Il leur reproche de chercher les racines de leurs maux dans un passé réinventé assimilé à une « longue traumatologie »[85]. Le trait est sévère et il a été reçu comme une insulte en Afrique et même en France[86]. Il est

---

82. C'est du moins ainsi que le présente Jean de la Guérivière, *Les fous d'Afrique. Histoire d'une passion française*, Seuil, 2001, p. 151.
83. Jacques Marseille, *Empire colonial et capitalisme français. Histoire d'un divorce*, Albin Michel, 1984. Les conclusions de Jacques Marseille viennent d'être confirmées par la thèse de doctorat soutenue en novembre 2008 à l'EHESS par Elise Huillery *Histoire coloniale. Développement et Inégalités dans l'ancienne Afrique occidentale française*.
84. Op. cité, p. 230.
85. Op. cité, p. 83.
86. Le livre collectif *Négrophobie* publié en 2005 aux Arènes, se présente explicitement comme une « réponse aux "négrologues", journalistes françafricains et autres falsificateurs de l'histoire ».

sans doute exagéré quand il généralise une posture victimaire que l'on rencontre parfois mais qui est rarement dominante.

RÉSUMÉ

La relation franco-africaine est encore aujourd'hui compliquée par le poids d'un passé mal assumé. On reproche à la France son passé esclavagiste et son rôle dans la colonisation. Les accusations se sont faites plus virulentes ces dernières années. Paradoxalement elles sont plus nombreuses en France – où le débat est vif sur les aspects « positifs » de la colonisation – qu'en Afrique même.

CHAPITRE 5

UNE RELATION COMPLIQUÉE
PAR L'ÉMERGENCE DE NOUVEAUX ACTEURS

On se tromperait en imaginant que la France en Afrique est un acteur monolithique et solitaire. Elle n'est pas univoque ; elle n'est pas seule.

À côté de l'ambassadeur – dont on a vu qu'il doit faire l'improbable synthèse des instructions qu'il reçoit des différentes composantes du « centre de commandement » parisien – d'autres acteurs français s'agitent en Afrique, dont l'action est souvent perçue comme engageant la France : collectivités locales, entreprises privées, ONG, lobbyistes... La question se pose de leurs relations avec « la France » : en ces temps de mondialisation où, dit-on, l'État n'est plus qu'un acteur parmi d'autres des relations internationales, qui ne dispose ni d'une légitimité ni de moyens particuliers, quelles relations entretiennent-ils avec les pouvoirs publics ? Sont-ils des concurrents de l'État dont les interventions polluent la mise en œuvre de la politique africaine de la France ? ou peuvent-ils constituer les alliés d'une politique condamnée, pour se faire entendre, à utiliser tous les canaux à sa disposition ?

Confrontée à la montée d'acteurs français dont elle ne contrôle pas toujours les agissements, la France est attaquée sur un autre front par d'autres États extra-africains qui s'intéressent de plus en plus à l'Afrique et menacent le « pré carré » français. La menace n'est pas nouvelle : jadis c'était la Grande-Bretagne qui provoquait en France un « syndrome de Fachoda »[1], hier on craignait la concurrence américaine, aujourd'hui c'est la Chine qui inquiète. Cette menace est-elle réelle ? est-elle sérieuse ?

1   LES NOUVEAUX ACTEURS NON ÉTATIQUES DE LA RELATION FRANCO-AFRICAINE

Parler de « la France » en Afrique, c'est supposer que la France parle d'une seul voix et met en œuvre une action cohérente. Ce postulat de la théorie classique est mis à mal par la sociologie des relations internationales qui insiste sur la diversité des acteurs et la pluralité des agendas.

Au sein de la seule sphère administrative, les objectifs des différents acteurs publics entrent parfois en concurrence. L'ambassadeur de France, dont on ne cesse de répéter depuis l'arrêté du directoire exécutif du 22 messidor an VII qu'il est le représentant exclusif de la France à l'étranger, a bien du mal à donner une cohérence à ces différentes politiques. D'ailleurs l'insistance avec laquelle cette règle est répétée depuis près de deux siècles démontre, si besoin en est, qu'elle peine à être respectée. En Afrique, autant sinon plus que dans d'autres parties du monde, l'ambassadeur doit sans cesse rappeler à ses services que la politique extérieure de la France est une. Longtemps concurrencé par le chef de la mission de coopération, l'ambassadeur est plus puissant depuis la réforme de la Coop' même si les relations avec l'agence locale de l'AFD ne sont pas toujours sans nuages. Il doit aussi s'accommoder des échanges qui s'effectuent, à son insu, entre Paris et son pays d'accréditation : la facilité des communications modernes multiplie les occasions, volontaires ou non, de contourner l'ambassadeur, surtout dans des pays qui entre-tiennent avec la France des relations étroites. Cela n'est pas grave si ces échanges ne contredisent pas les orientations générales de la politique défendue par l'ambassadeur ; cela peut le devenir lorsque des diplomaties parallèles s'organisent.

1.1   La séparation des pouvoirs, facteur méconnu de perturbation de la politique africaine de la France

À supposer que l'ambassadeur représente le Gouvernement français dans toute sa diversité, il ne représente pas pour autant les autres branches de l'État, indépen-dantes du pouvoir exécutif.

---

1.   Philippe Marchesin, « Mitterrand l'Africain », *Politique africaine*, n° 58, juin 1995, p. 10.

Le problème ne vient pas tant du Parlement. Certes il y a un paradoxe cocasse à voir défiler dans les ambassades – en Afrique comme dans le reste du monde – des parlementaires qui, sous couvert de RGPP[2] et d'austérité budgétaire, prônent la contraction des budgets de l'action extérieure de l'État tout en s'offusquant qu'un chauffeur ne vienne pas les chercher à l'aéroport ou qu'une chambre ne leur soit pas préparée à la résidence de l'ambassadeur. Les parlementaires font aussi montre d'une certaine schizophrénie en votant des lois qui durcissent les règles d'entrée et de séjour des étrangers et en multipliant les interventions pour faciliter la délivrance de visas ou de titres de séjour à tel ou tel de leurs proches. Mais ces anecdotes restent ponctuelles et ni l'Assemblée nationale ni le Sénat français, au-delà des actions marginales de coopération qu'elles mènent avec certaines institutions parlementaires africaines, ne constituent à proprement parler des acteurs des relations internationales[3].

En revanche, depuis peu, l'action de la Justice complique considérablement la diplomatie française en Afrique. À la différence d'autres pays, la France n'a pas enrichi son dispositif pénal d'une loi de compétence universelle qui lui permettrait de poursuivre les auteurs d'un crime, quelle que soit la nationalité des victimes ou le lieu de sa commission. En revanche, la loi pénale française s'applique, même hors du territoire national, dès lors que l'auteur présumé ou la victime d'un crime est de nationalité française. C'est sur cette base que des plaintes ont été déposées et des instructions ouvertes pour enquêter sur l'attentat du 6 avril 1994 contre l'avion du président rwandais, piloté par un équipage français, les circonstances du décès du juge Borrel à Djibouti en octobre 1995, la tragédie du Joola où près de 2 000 personnes ont trouvé la mort en septembre 2002 au large des côtes sénégalaises, la vente illicite d'armes soviétiques et françaises à l'Angola (« Angolagate ») ou la disparition du journaliste franco-canadien Guy-André Kieffer en avril 2004 à Abidjan.

L'affaire Borrel

Bernard Borrel était un magistrat français, mis à la disposition du ministère de la justice djiboutien au titre de l'assistance technique (cf. *supra* p. 100). Son corps à demi-calciné est retrouvé le 19 octobre 1995 dans le désert, à 80 km de Djibouti. L'enquête djiboutienne

---

2.   Lancée en juin 2007, la révision générale des politiques publiques (RGPP) analyse les politiques de l'État et propose des réformes structurelles économes des deniers publics.
3.   Certaines initiatives parlementaires ont parfois néanmoins des retombées internationales. Ainsi le vote par le Parlement français de la loi portant reconnaissance du génocide arménien a considérablement compliqué la relation franco-turque ou celui de la loi du 23 février 2005 (voir *supra* p. 141) la relation franco-algérienne.

sur la mort du juge conclut au suicide ; mais Elisabeth Borrel, sa veuve, accuse Ismail Omar Guelleh, qui à l'époque était le chef de cabinet du Président de la République et qui depuis lui a succédé, d'être le commanditaire de l'attentat de son mari. À sa demande, plusieurs expertises médico-légales sont réalisées sur la dépouille de son mari qui discréditent la thèse du suicide : en particulier l'absence de suie dans le larynx ou les poumons laisserait penser que le corps du juge Borrel a été aspergé d'essence et incinéré après sa mort.

L'instruction du juge Clément ayant conclu à l'assassinat du juge, des mandats d'arrêts internationaux sont délivrés en octobre 2006 contre deux repris de justice en fuite, le tunisien Hamadou Hassan Adouani et le djiboutien Awalleh Guelleh. Par ailleurs, une information judiciaire pour subornation de témoins est ouverte qui conduit à l'émission de mandat d'arrêts internationaux contre le procureur général de Djibouti et le chef des services secrets auxquels il est reproché d'avoir fait pression sur des membres de la garde présidentielle qui ont mis en cause le président djiboutien. Le juge d'instruction profite de la présence en France du président Guelleh, en mai 2005 et en février 2007, pour demander à l'entendre en qualité de témoin. Mais le Président djiboutien s'abrite derrière l'immunité de juridiction dont il jouit en sa qualité de Chef d'État pour refuser de déférer à ces convocations.

Elisabeth Borrel suspecte l'Elysée et le Quai d'Orsay d'être intervenus dans l'instruction au nom de l'amitié franco-djiboutienne en tentant notamment de transmettre une copie du dossier d'instruction à la justice djiboutienne. Elle dépose plainte pour « pression sur la justice », ce qui conduit, fait unique dans l'histoire, à une tentative de perquisition à l'Elysée en mai 2007 dont l'entrée est toutefois refusée aux juges d'instruction au nom de l'immunité de juridiction dont jouit le Chef de l'État français. L'État djiboutien contre-attaque en saisissant la Cour internationale de justice (CIJ) du refus de la France de lui communiquer le dossier d'instruction. Mais la CIJ rejette l'essentiel des conclusions de la requête djiboutienne dans un arrêt en date du 4 juin 2008 [4] qui juge que ce refus de communication ne viole pas la convention franco-djiboutienne d'entraide judiciaire de 1986.

L'affaire Borrel est emblématique des perturbations que peut causer une instruction judiciaire dans les relations diplomatiques de la France avec un État africain. Lorsque les plus hautes autorités d'un État africain sont, à tort ou à raison, mises en cause dans une affaire criminelle, la justice française fait imperturbablement son œuvre sans que l'Exécutif ne parvienne à l'en distraire. Hier, ces affaires auraient été enterrées au nom de la « raison d'État » ; aujourd'hui la recherche de la vérité ne s'embarrasse plus de la bonne marche des relations diplomatiques.

---

4. L'arrêt du 4 juin 2008 est accessible sur le site Internet de la cour www.icj-cij.org.

Si ces affaires provoquent tant de turbulences entre la France et l'Afrique, c'est essentiellement à cause d'un malentendu. En Afrique, où la vérité oblige à reconnaître que, même dans les États les plus démocratiques, l'indépendance de la Justice reste souvent un vain mot, on n'arrive pas à concevoir que les « petits juges » français soient indépendants. On pense volontiers qu'ils agissent sur ordre. On ne comprend pas qu'ils ne puissent recevoir d'instructions du pouvoir exécutif et mener des investigations qui n'aient pas l'accord, fût-il tacite, des autorités exécutives. Il s'en suit un dialogue de sourds entre les dirigeants africains qui exigent de leurs interlocuteurs français l'interruption des poursuites et ceux-ci qui protestent sans être crus de leur impuissance à interférer dans le fonctionnement de la justice. Là où les relations sont déjà fragiles, une enquête judiciaire peut conduire à la rupture des relations diplomatiques : c'est le cas au Rwanda après que le juge Bruguière a délivré en novembre 2006 des mandats d'arrêts internationaux contre neuf proches du président Paul Kagamé [5]. Mais, même dans les bastions du « pré carré » français, les initiatives des « petits juges » suscitent des réactions outragées : au Sénégal, en septembre 2008, Abdoulaye Wade réplique à la mise en cause de neufs responsables sénégalais impliqués dans le naufrage du Joola en menaçant d'attaquer les responsables français (maire, ministre de l'intérieur, Premier ministre) de l'incendie de l'hôtel Opéra à Paris où deux Sénégalais ont trouvé la mort en décembre 2005 [6] ; au Gabon, au Congo ou au Cameroun, les chefs d'États ne comprennent pas qu'une instruction contre leurs « biens mal acquis » puisse être menée sans que l'exécutif n'y mette bon ordre.

Ce phénomène dépasse la relation franco-africaine. La judiciarisation des relations internationales est une évolution importante du monde contemporain [7]. Les États africains se lient par des engagements bilatéraux ou multilatéraux sans toujours en mesurer la portée. Ils perdent de vue qu'un jour, ils risquent d'être condamnés pour avoir ignoré les traités qu'ils ont signés : c'est le cas du président soudanais contre lequel la Cour pénale internationale (CPI) émet un mandat d'arrêt le 4 mars 2009 pour les crimes qu'il aurait cautionnés au Darfour, du Niger

---

5. C'est en application de ces mandats d'arrêts que Rose Kabuye, chef du protocole rwandais, est arrêtée le 10 novembre 2008 à Francfort et transférée en France.
6. Cheikh Yerim Seck, « Wade, Sarko et les juges », *Jeune Afrique*, n° 2489, 21-27 septembre 2008, pp. 32-35.
7. Emmanuel Decaux, « Le développement de la production normative : vers un "ordre juridique international" » in Bertrand Badie & Guillaume Devin (dir.) *Le multilatéralisme. Nouvelles formes de l'action internationale*, La Découverte, 2007, pp. 113-128 (nous avons rendu compte de cet ouvrage dans *Politique étrangère*, 1/2008, mars 2008, pp. 193-194).

condamné par la Cour de justice de la Cedeao pour « esclavagisme », du Sénégal accusé par le Comité contre la torture de l'ONU de tarder à juger l'ex-président tchadien Hissène Habré. Cette évolution est emblématique de l'intégration ambiguë de l'Afrique dans une communauté internationale globalisée qui impose des « standards » que le continent ne peut ni ne veut toujours respecter. L'inculpation du président Béchir par la CPI en 2008 marquera peut-être un tournant historique : verra-t-on s'amplifier la contestation d'une justice à deux vitesses dictée par les pays du Nord et dirigée quasi-exclusivement contre les pays du Sud au point que l'Afrique dénonce les engagements internationaux qu'elle avait souscrits ? Ou l'admission du continent à la société internationale se fera-t-elle au prix de l'immixtion des « petits juges » et de l'évaluation des pratiques africaines sur la base de valeurs dont il conteste l'universalité ?

1.2 Collectivités locales, entreprises, ONG : partenaires ou adversaires ?

La coordination de l'action des services extérieurs de l'État est une chose. La mise en cohérence des interventions de tous les Français qui, à un titre ou à un autre, interviennent en Afrique en est une autre, qui excède d'ailleurs la mission d'un ambassadeur. Le problème est que l'opinion publique, qu'elle soit française ou africaine, ne s'embarrasse pas de telles subtilités juridiques. Pour elle, Bolloré, le juge Bruguière ou « L'arche de Zoé » participent tout autant de la politique africaine de la France que l'Elysée, le quai d'Orsay ou l'AFD. Face à cette situation inédite, les pouvoirs publics doivent faire contre mauvaise fortune bon cœur : le défi est pour eux de contrôler ces nouveaux acteurs pour éviter qu'ils ne parasitent leur action, voire de les rallier à leur cause pour en faire des amplificateurs d'influence[8].

Les relations qui, au fil du temps, se sont tissées avec les collectivités locales françaises qui, en Afrique, mettent en œuvre des opérations de coopération, sont caractéristiques des synergies que l'État peut nouer avec d'autres opérateurs[9].

---

8.   On pourra lire sur le sujet le récent rapport de l'ambassadeur Bérengère de Quincy *Pour une politique étrangère plus partenariale. Agir dans la monde avec les acteurs français non étatiques. ONG, collectivités territoriales, syndicats entreprises*, octobre 2007 (accessible en ligne à http://www.diplomatie.gouv.fr/fr/IMG/pdf/mission_acteurs_rapport_BQ1507-2.pdf).
9.   Franck Petiteville, *La coopération décentralisée. Les collectivités locales dans la coopération Nord-Sud*, L'Harmattan, 1996 ; Michel Rousset, *L'action internationale des collectivités locales*, LGDJ, 1998.

À l'origine, dans les années 1970, après que la grande sécheresse du Sahel a ému les opinions publiques, les communes françaises – les départements et les régions ne mènent à cette époque quasiment aucune action extérieure – interviennent ponctuellement en Afrique, sans souci de se concerter entre elles ni *a fortiori* d'en informer l'État. Tout au plus se bornent-elles à faire à l'ambassade une rapide visite lorsqu'elles se rendent sur le terrain, pour l'informer de ce qu'elles font ou, plus souvent, pour solliciter son aide afin de débloquer un problème.

Mais, avec la montée en puissance de la coopération décentralisée, l'État et les collectivités locales comprennent l'intérêt mutuel d'une meilleure concertation. Le poste de Délégué à l'action extérieure des collectivités locales (DAECL) est créé en 1983 au Quai d'Orsay. Dans les ambassades, un attaché de coopération est spécialisé sur l'encadrement et l'assistance aux collectivités locales. Pour éviter les doublons et favoriser les synergies, le ministère tient une base de données qui recense l'ensemble des actions menées dans tel ou tel pays par les collectivités françaises. Il organise, en concertation avec les associations de collectivités locales [10], des « séminaires-pays » qui sont autant d'occasions pour les acteurs locaux intéressés par une même zone de se rencontrer et d'échanger leurs expériences [11].

Les collectivités françaises ont compris qu'elles ont intérêt à s'appuyer sur l'État pour profiter de sa connaissance du pays et pour les aider à régler des difficultés qu'elles sont le plus souvent incapables, à leur niveau, de résoudre. Le régime juridique de l'action extérieure des collectivités [12] leur fait obligation d'avoir pour interlocuteurs des collectivités territoriales seulement – ce qui ne va sans poser problème dans des pays où la décentralisation reste peu développée ; mais l'accès aux ministres voire au Président est parfois nécessaire avec l'appui de l'ambassadeur. Les collectivités locales cherchent aussi à faire cofinancer leurs actions par l'État,

---

10. Alors que les deux organisations mondiales créées durant la Guerre froide ont fusionné en mai 2004 pour former CGLU (Cités et gouvernements locaux unis), subsistent en France deux associations spécialisées dans l'action extérieure des collectivités locales : l'AFCCRE (Association française du conseil des communes et régions d'Europe) et CUF (Cités Unies France).

11. Ainsi des assises franco-nigériennes qui se sont tenues à Niamey du 1er au 3 avril 2009.

12. Le rapport du Conseil d'État « Le cadre juridique de l'action extérieure des collectivités locales » dresse un état des lieux et ouvre quelques pistes de réforme (La Documentation française, 2005).

lequel trouve son intérêt à cette association : les 150 millions d'euros[13] avec lesquelles les collectivités locales contribuent à l'aide publique française au développement sont un complément bienvenu à une coopération étatique fragilisée par
les restrictions budgétaires[14].

La coordination avec les acteurs privés n'est pas aisée, compliquée de part et
d'autre par une méfiance réciproque. Ainsi des opérateurs économiques dont le
comportement est parfois paradoxal, voire schizophrène. D'un côté, ils estiment
ne rien devoir à l'État français dont ils critiquent les pesanteurs administratives et le
train de vie dispendieux. De l'autre ils sont les premiers à venir quémander le
soutien de l'ambassade lorsque leur position commerciale est menacée. Ces tensions sont gérées tant bien que mal par les missions économiques et financières
(MEF) des ambassades de France, successeurs des postes d'expansion économique
(PEE). Sous l'autorité de l'ambassadeur de France, le chef de la mission économique, nommé par Bercy, anime la section locale des conseillers du commerce extérieur. Ceux-ci sont désignés pour trois ans, par décret du Premier ministre, sur
proposition du ministre chargé du commerce extérieur, après avis de l'ambassadeur[15]. Il s'agit en général d'hommes d'affaires – et plus rarement de femmes –
d'origine européenne[16] implantés de longue date en Afrique. Les réunions pério-
diques de la section locale des conseillers sont dans l'intérêt mutuel des opérateurs
économiques et de la mission économique. La seconde y collecte des informations
précieuses sur la vie économique du pays qui l'aident dans sa mission de veille ; les
premiers y trouvent l'occasion d'exposer leurs difficultés et de solliciter les interventions politiques susceptibles de les résoudre, qu'il s'agisse de l'organisation

---

13. Rapport 2007 du Délégué pour l'action extérieure des collectivités locales, p. 6
(accessible à www.diplo.gouv.fr/cncd).

14. À titre d'exemple, la coopération décentralisée française représente au Sénégal environ 4 millions d'euros (dont un quart environ est financé par le ministère des Affaires
étrangères à comparer avec les 124 millions d'APD française au Sénégal – constituée pour
46 millions par des aides-projets distribués directement depuis Dakar par le MAE et l'AFD).

15. Cette procédure vaut pour les conseillers expatriés, au nombre de 2 000 environ à travers le monde, qui avec les 1 600 conseillers résidant en métropole sont membres du
Comité national des Conseillers du commerce extérieur de la France (CNCCEF), association de la loi 1901 (voir son site Internet www.cnccef.org).

16. Le décret n° 2004-212 du 10 mars 2004 réserve aux seuls ressortissants de l'Espace
économique européen la possibilité de devenir conseillers français du commerce extérieur.

litigieuse d'un appel d'offres ou de l'application discriminatoire d'une nouvelle réglementation fiscale.

La tâche des missions économiques des ambassades est compliquée par la diversité de leur public : entre les grandes multinationales françaises implantées de longue date en Afrique, les PME dynamiques qui cherchent à s'y développer et les vieilles sociétés familiales implantées depuis des générations et parfois en perte de vitesse, il y a peu en commun sinon la revendication d'être défendues par l'ambassade. Les organisations patronales parisiennes intéressées à l'Afrique reflètent cette diversité : d'un côté le Medef international – dont le président du comité Afrique fut longtemps l'ancien ministre de la coopération Michel Roussin – représente les intérêts des grands groupes, de l'autre le Conseil des Investisseurs en Afrique (CIAN) privilégie les sociétés, grandes ou petites, implantées de longue date sur le continent.

La schizophrénie est plus marquée encore s'agissant des organisations non gouvernementales (ONG).

Parfois complices, souvent méfiantes, les relations entre les organisations de solidarité internationale (OSI) [17] et les pouvoirs publics ont longtemps été ambiguës. Les OSI redoutaient d'être instrumentalisées par les États ; ceux-ci répugnaient à faire participer ces nouveaux acteurs au jeu diplomatique. Pendant toutes les années 1990, on a beaucoup glosé sur le financement public des ONG indispensable à leurs actions – car le marché du don privé reste étroit en France – mais si périlleux pour leur indépendance. Les temps ont changé et les problématiques ont évolué. Cette méfiance mutuelle s'est dissipée sans disparaître tout à fait : 2 % seulement de l'APD française transite par les ONG alors que le chiffre approche 10 % aux Pays-Bas, au Canada ou aux États-Unis.

À force de travailler ensemble, les uns et les autres ont appris à se connaître et à se faire confiance. Des structures se sont mises en place : la plate-forme Coordination Sud qui rassemble les OSI françaises, la MAAIONG (Mission d'appui à l'action internationale des ONG) qui est le point d'entrée des ONG au ministère

---

17. Le monde des ONG françaises est extrêmement hétérogène et se prête à toutes sortes de classification. Une première division oppose celles qui interviennent en France uniquement à celles qui déploient leurs actions à l'internationale. Parmi celles-ci, on distingue les ONG humanitaires ou « urgencières » des ONG « de développement » aussi appelées OSI.

des affaires étrangères et qui cofinance certaines de leurs actions, la Commission Coopération Développement (CCD), instance consultative paritaire rassemblant les OSI et les pouvoirs publics, le Haut conseil à la coopération internationale (qui devrait être remplacé en 2009 par un Conseil stratégique sur l'Aide publique au développement aux missions et à la composition renouvelés). Bon an mal an, une répartition des tâches s'établit sur le terrain.

La géographie des ONG françaises en Afrique ne reflète pas les limites du « pré carré ». On trouve beaucoup d'ONG humanitaires en Afrique centrale et orientale, à proximité des zones en crise : Action contre la faim maintient une présence en Somalie, malgré les immenses difficultés rencontrées (prise d'otages, rackets…), le Comité catholique contre la Faim et pour le Développement (CCFD) a porté un intérêt pérenne au Sud-Soudan, Médecins sans frontières est très actif dans l'Est-Congo… Réciproquement, on voit des ONG anglo-saxonnes dans d'anciennes colonies françaises auxquelles ni les États-Unis ni le Royaume-Uni ne portent pourtant d'intérêt particulier : *Human Rights Watch* plaide sans relâche pour le jugement de l'ex-président tchadien Hissène Habré, *International Crisis Group* (ICG) publie des analyses très documentées sur les pays du fleuve Mano ou les foyers de terrorisme dans le Sahel, *Oxfam* milite pour la prohibition des armes de petits calibres en Afrique de l'Ouest et a produit une expertise indépendante de grande qualité sur les Accords de partenariat économique (APE)…

Un phénomène plus récent est l'émergence d'organisations non gouvernementales africaines. Cette efflorescence trouve sa cause dans la méfiance que les administrations africaines inspirent aux bailleurs de fond. Souvent associées à des ONG occidentales, les ONG locales sont censées mettre en œuvre des projets de coopération avec plus d'efficacité et de fiabilité que les États africains qui n'ont ni la volonté ni les moyens d'assumer leurs responsabilités. Ce transfert de compétences soulève deux difficultés. La première est qu'il déresponsabilise l'État africain qui n'a aucune raison de reprendre en charge des services publics (éducation, santé) désormais assurés par les ONG. Le second est que les ONG locales peinent parfois à satisfaire les critères de transparence et de légitimité qu'on impose aux États.

L'arche de Zoé

Le 25 octobre 2007, des membres de l'ONG « L'arche de Zoé » sont arrêtés dans l'est du Tchad. Ils sont accusés d'avoir voulu procéder à l'enlèvement d'un groupe de 103 enfants qui étaient sur le point de partir vers la France. L'ONG se défend en invoquant une opération d'évacuation vers l'Europe d'orphelins du Darfour.

L'affaire enflamme aussitôt les médias, en Europe comme en Afrique. Pour les uns, les humanitaires de « L'arche de Zoé » sont des héros qui veulent sauver des innocents d'une mort certaine. Pour les autres, il s'agit au mieux de « pied nickelés », de « zozos », au pire d'escrocs qui ont abusé de la crédulité de Français en mal d'enfants pour enlever à leurs parents des enfants et les faire sortir clandestinement de leur pays.

Le 3 novembre 2007, Nicolas Sarkozy se rend au Tchad, y rencontre le président tchadien Idriss Déby et ramène avec lui les trois journalistes français qui accompagnaient les humanitaires et les trois hôtesses de l'air espagnoles employées par la compagnie aérienne utilisée pour l'évacuation des enfants, qui avaient été opportunément libérés le jour même par la justice tchadienne.

Le procès des six humanitaires restés au Tchad commence le 21 décembre 2007. Bâclé en cinq jours à peine, il s'achève par la condamnation de chacun des prévenus à huit ans de travaux forcés assortis d'une amende solidaire de plus de 4 milliards F CFA (soit environ 60 000 euros par enfant). Conformément à la convention judiciaire franco-tchadienne, les six condamnés sont rapatriés en France pour y purger leur peine. Le 31 mars 2008, le président tchadien les gracie. Ils sont immédiatement libérés mais restent visés par une instruction pour exercice illégal de l'activité d'intermédiaire en vue d'adoption, aide au séjour irrégulier de mineurs étrangers en France et escroquerie.

Toute l'affaire a le parfum d'un mauvais film hollywoodien. Comme le lieutenant des US Marines, interprété par Bruce Willis dans *Les larmes du soleil* (Antoine Fuqua, 2004), qui ignore les ordres de sa hiérarchie pour sauver la vie d'un groupe de villageois menacés par les escadrons de la mort de l'armée nigériane, Eric Breteau, le président de « L'arche de Zoé », ne s'embarrasse pas du respect de la souveraineté tchadienne dès lors que l'idéal humanitaire est en cause. Son action, qui ignore les réalités locales (les orphelins du Darfour s'avèrent n'être ni orphelins ni Darfouris), manifeste un « néocolonialisme compassionnel » tristement emblématique d'une relation nouvelle à l'Afrique : ce continent ténébreux et sanguinaire, incapable d'assurer la sauvegarde de ses propres enfants, doit, même à son corps défendant, être protégé de ses propres travers. Les enfants pauvres de l'est tchadien sont nécessairement des « orphelins du Darfour » qui seront plus heureux en France dans leurs familles d'accueil qu'au Tchad menacés par la guerre et la famine.

La résolution judiciaire et politique de l'affaire est elle aussi emblématique. L'exécutif français a été très actif, le Président de la République française n'hésitant pas à se rendre en personne à Ndjamena pour faire libérer une partie des membres de l'expédition. L'État tchadien a vite compris le bénéfice qu'il pouvait tirer de l'opprobre suscité par les agissements des membres de « L'arche de Zoé » alors que se négociait le déploiement d'une force européenne d'interposition dans l'est du Tchad. La façon dont il a rondement réglé le sort des détenus français a montré le peu de respect qu'il avait pour l'indépendance de la justice tchadienne, sommée de rendre, dans les délais les plus brefs, un jugement écrit d'avance. Enfin, l'amende mirobolante prescrite par les juges révèle les motivations sordides des plaignants.

1.3 Des réseaux françafricains aux lobbies des « sorciers blancs »

Il est une dernière catégorie d'acteurs non étatiques dont il n'est pas aisé de faire une présentation objective tant elle est entourée de mystères et charrie de fantasmes. Il s'agit de la « Françafrique » entendue non pas comme l'État franco-africain décrit par J.-P. Dozon ou le « complexe » franco-africain que nous avons décrit *supra*, mais comme cette frange plus ou moins obscure d'acteurs qui profitent du laisser-aller qui caractérise parfois la gestion des affaires en Afrique pour y mener des opérations aux frontières de la légalité.

Dans les années 1990, les journalistes Stephen Smith et Antoine Glaser ont dressé le *who's who* de ces réseaux d'influence franco-africains. En 1992, dans le premier tome de leur enquête, les « Messieurs Afrique » agissaient au cœur de l'État français. Le second tome, publié en 1997, décrit une évolution capitale : la privatisation des réseaux foccartiens, leur progressive transformation en lobbies. Hier, les « sorciers blancs » étaient au cœur de l'État. Sans être tous nécessairement fonctionnaires, ils agissaient au nom de l'intérêt national et sous le contrôle de l'État. La page du foccartisme tournée, les lobbies essaiment dans toutes les directions. À l'ère des réseaux institutionnalisés succède celle des lobbies aux contours flous, aux loyautés mercenaires, aux objectifs contradictoires. Les « sorciers blancs » ne sont plus au cœur de l'État mais ils entretiennent avec lui des relations intéressées, n'hésitant pas à le solliciter quand ils en ont besoin pour décrocher un rendez-vous en haut lieu ou faciliter la conclusion d'un contrat.

Dans son enquête sur « les faux amis français de l'Afrique », le journaliste Vincent Hugeux décrit trois catégories de « sorciers blancs » qui braconnent dans

les coulisses des palais africains [18]. Les premiers sont des conseillers en communications, virtuoses du marketing politique, de droite (Thierry Saussez, Anne Méaux)
comme de gauche (Jacques Séguéla, Stéphane Fouks), qui monnaient au prix fort
leurs conseils, pas toujours avisés, à des Chefs d'État africains en mal de réélection
ou à des opposants avides de pouvoir. Les deuxièmes sont des journalistes et des
patrons de presse qui, au mépris souvent de leur déontologie, échangent un
article complaisant contre le paiement de quelques pages de publicité. Les troisiè-
mes sont les « pèlerins constitutionnels », des juristes parfois dévoyés qui appor-
tent leur expertise à des potentats africains avides de prolonger indéfiniment leur
mandat. Aux côtés de Jacques Vergès, de Roland Dumas ou d'Edmond Jouve, la
figure emblématique de cette catégorie est le professeur Charles Debbasch.
Agrégé de droit, doyen puis président de l'université Aix-Marseille III, conseiller
technique au cabinet d'Edgar Faure puis à celui de Valéry Giscard d'Estaing, ce
brillant juriste qui dirigea au milieu des années 1980 *Le Dauphiné libéré* a multiplié
les missions africaines avant de s'installer au Togo. Alors que ses ennuis judiciaires
se multiplient en métropole avec l'affaire Vasarely, ce « spécialiste en tripatouillage
de constitutions » est devenu l'éminence grise du Président Eyadéma.

On croise ces « gourous blancs » dans les salons VIP des aéroports africains ou
dans les antichambres des palais présidentiels. Ils ont comme trait commun
l'amour revendiqué pour l'Afrique qu'ils servent pourtant si mal. « Moi, Monsieur,
j'aime l'Afrique » constitue souvent l'excuse imparable avec laquelle ils tentent de
justifier leurs pratiques peu avouables. Derrière cet amour proclamé pour le continent, se cache en fait un paternalisme peu sympathique pour les Africains dont il
est en apparence si facile et si lucratif de devenir les conseillers de l'ombre ou les
faiseurs d'images.

2   LA FRANCE FACE À DE NOUVEAUX RIVAUX EN AFRIQUE ?

Les études africaines ont leurs modes. La « percée » de la Chine en Afrique en
est une. Depuis quelques mois, les articles de presse et les études universitaires sur

---

18. Vincent Hugeux, *Les sorciers blancs. Enquête sur les faux amis français de l'Afrique*,
Fayard, 2007 (nous avons rendu compte de cet ouvrage dans *La Revue internationale et
stratégique*, n° 67, automne 2007, pp. 175-176).

le sujet se multiplient (*Le Monde 2* en a fait sa une en octobre 2008). L'Ifri y a consacré un séminaire en décembre 2008. Grasset a publié au printemps 2008 *La Chinafrique* écrit par les journalistes Serge Michel et Michel Beuret qui a remporté un joli succès de librairie [19]. Il y a quelques années, on avait beaucoup glosé sur la nouvelle politique africaine des États-Unis... avant que la mode s'essouffle et que le sujet n'intéresse plus grand monde.

Dans un cas comme dans l'autre, le dynamisme de ces nouveaux acteurs extra-africains est avantageusement comparé au soi-disant déclin de l'influence française. Le jeu serait à somme nulle : ce que les États-Unis ou la Chine gagneraient, la France nécessairement devrait le perdre. Les États-Unis hier, la Chine aujourd'hui auraient enfin compris l'intérêt stratégique de l'Afrique alors que la France, engoncée dans des pratiques d'un autre temps et calfeutrée derrière les murailles qu'elle dresse pour se protéger de l'immigration clandestine, connaîtrait un inexorable déclassement. Ce déclassement serait encouragé par les Africains eux-mêmes ravis de sortir du tête-à-tête avec la France et de nouer un dialogue avec de grandes puissances sans passé colonial.

2.1   La France n'est plus seule...

2.1.1 *Une omnipotence française fantasmée*

La France n'est plus seule en Afrique. L'a-t-elle jamais été ? L'intérêt des puissances extra-africaines pour le continent africain n'est pas nouveau. Depuis toujours, l'Afrique a attiré les convoitises. Lorsque l'intérieur du continent noir commence à être exploré, les tensions entre les principales puissances, notamment autour du bassin du Congo, rendent nécessaire l'organisation de la conférence de Berlin (novembre 1884 – février 1885) [20]. On dit souvent que les puissances coloniales s'y sont partagé l'Afrique. Ce n'est pas tout à fait exact. L'acte général signé le 23 février 1885 ne délimite aucune frontière sinon celles du Congo dont la propriété est reconnue au roi des Belges Léopold II. Mais il reconnaît aux puissances européennes installées sur la côte le droit d'étendre leur

---

19. Voir notre recension dans *Politique africaine*, n° 111, octobre 2008, pp. 193-195.
20. Henri Wesserling, *Le partage de l'Afrique (1880-1914)*, coll. L'aventure coloniale de la France, Denoël, 1996 ; Thomas Pakenham, *The scramble for Africa (1876-1912)*, Random House, 1991.

domination sur l'hinterland jusqu'à rencontrer une « sphère d'influence » voisine. C'est sur cette base que l'Afrique fut divisée au cours des trente années suivantes entre la France, le Royaume-Uni, la Belgique, le Portugal, mais aussi d'autres puissances européennes dont le passé colonial est moins prégnant : l'Allemagne (Tanganyika, Sud-Ouest africain, Togoland, Kamerun), l'Italie (Somalie, Tripolitaine, Erythrée), l'Espagne (Sahara espagnol, Guinée équatoriale).

Croire que la relation franco-africaine, telle qu'elle a été décrite dans les chapitres précédents, concerne tous les pays africains serait une grave erreur que l'usage trop fréquent du terme générique « l'Afrique » pourrait laisser accréditer. La relation franco-africaine varie considérablement selon qu'on se situe dans d'anciennes colonies françaises ou pas. Cela ne signifie pas pour autant que la sphère d'influence française soit limitée aux seules colonies françaises. Elle s'étend en fait, peu ou prou à l'ensemble de l'Afrique francophone, ce qui inclut les colonies allemandes qui lui ont été confiées par la Société des nations au lendemain de la Première Guerre mondiale (Togo, Cameroun) dont la relation aujourd'hui avec la France ne se distingue quasiment pas de celle qu'entretiennent les anciennes colonies françaises « pur jus » et les colonies belges (Zaïre, Rwanda, Burundi) sur lesquelles la France a exercé, depuis les années 1970, une sorte de « lévirat colonial » pour reprendre la jolie expression de Stephen Smith[21]. Dépassant les limites des États francophones, l'influence de la France peut s'étendre à d'anciennes colonies espagnole (la Guinée équatoriale) et portugaises (la Guinée Bissao, le Cap Vert, Sao-Tomé et Principe) : certaines utilisent le franc CFA (la Guinée équatoriale depuis 1985, la Guinée Bissao depuis 1997), toutes ont adhéré à la Francophonie (la Guinée équatoriale depuis 1989, la Guinée Bissao depuis 1979, le Cap Vert depuis 1996, Sao Tomé depuis 1999). Mais, dans ces quatre pays-là, comme d'ailleurs dans les trois anciennes colonies belges, la place de la France n'est pas aussi écrasante que dans ses anciennes colonies. Sans qu'il soit besoin d'évoquer le Rwanda qui a rompu ses relations diplomatiques avec la France en novembre 2006, la Guinée Bissao, pour ne citer qu'elle, est un exemple très intéressant de

---

21. Stephen Smith, « France-Rwanda : Lévirat colonial et abandon dans la région des Grands Lacs » in André Guichaoua (dir.), *Les crises politiques au Burundi et au Rwanda (1993-1994)*, Karthala, 1995, pp. 447-454. Le lévirat est une pratique ancestrale en Afrique qui voit la veuve épouser le frère du défunt. Cet usage, évoqué dans le Deutéronome, peut être aussi bien considéré comme une mesure de protection des veuves que comme une pratique rétrograde ravalant la femme à un bien patrimonial.

pays africain situé aux marges du « pré carré » : entouré de pays francophones (le Sénégal au Nord, la Guinée à l'Ouest) le pays a intégré l'Union économique et monétaire ouest-africaine (Uemoa) ; mais la Guinée Bissao, membre depuis sa fondation en 1996 de la Communauté des pays de langue portugaise (CPLP), conserve des liens forts avec le Portugal, son deuxième fournisseur (derrière le Sénégal), qui s'en fait l'avocat, notamment à Bruxelles, et voit d'un mauvais œil l'intérêt que lui porte la France.

En tout état de cause, il est une fracture africaine qui est sans doute si évidente qu'on ne l'évoque plus guère. Il s'agit de celle qui sépare les États francophones et anglophones en Afrique. C'est une surprise toujours renouvelée de constater combien ces États diffèrent de leurs voisins francophones et les ignorent. La Gambie, un État peuplé de 1,6 million d'habitants, grand comme deux départements français seulement, totalement enclavé dans le Sénégal, ne parle pas français et utilise sa propre monnaie de préférence au franc CFA qui circule dans toute l'Uemoa. La France n'y a pas d'ambassade [22] ; en revanche, le Royaume-Uni a dans cet État membre du Commonwealth un haut-commissariat beaucoup plus important que sa représentation diplomatique à Dakar – où la communauté britannique compte seulement 200 membres contre 2 500 résidents britanniques permanents en Gambie. Il en est de même au Ghana qui est pourtant, lui aussi, un État totalement entouré par d'anciennes colonies françaises. Les locuteurs français y sont rares, l'administration fonctionne selon un modèle importé d'Angleterre, l'influence britannique y est autrement plus importante que celle de la France qui ne pèse guère plus que les Pays-Bas ou la Suède. On pourrait dire la même chose de la Sierra Leone ou du Liberia – lequel n'a jamais été colonisé mais conserve de ses origines un tropisme très marqué vers le monde anglo-saxon en général et les États-Unis en particulier.

La situation évolue-t-elle ? La France le souhaiterait, qui a fait de la sortie de son « pré carré » l'un des objectifs de la réforme de la coopération en 1998. C'est dans cet esprit que la Zone de solidarité prioritaire (ZSP), où la coopération française est censée se concentrer, a été élargie à la quasi-totalité des États africains au risque d'entraîner un émiettement d'une aide française en contraction. La diplomatie française a identifié trois États où concentrer ses efforts pour des raisons à la

---

22. Elle y est représentée par une antenne diplomatique rattachée à l'ambassade de France à Dakar.

fois stratégiques et économiques : l'Afrique du Sud, le Nigeria et l'Angola. L'Afrique du Sud est une puissance économique émergente où les entreprises françaises peuvent espérer s'implanter. Le Nigeria et l'Angola sont d'importants producteurs de pétrole. L'Afrique du Sud et le Nigeria constituent l'un et l'autre, dans leurs espaces régionaux respectifs, des États-pivots dont le rôle dans la stabilité régionale peut s'avérer déterminant. Autant de motifs qui justifient les visites présidentielles que Jacques Chirac puis Nicolas Sarkozy [23] ont rendu dans ces trois pays.

Pour autant, la percée française hors du « pré carré » tarde à se concrétiser. Les chefs d'État d'Afrique anglophone sont les premiers à « sécher » les sommets Afrique-France [24]. La coopération française reste concentrée sur les anciens pays « du champ » [25]. La présence diplomatique dans les anciennes colonies britanniques est encore embryonnaire : l'ambassade de France à Abuja (Nigeria) est moins importante que celle de Niamey (Niger). Mais, ce qui est sans doute le plus flagrant, c'est que l'on ne voit pas de rapprochement s'esquisser entre les Afriques francophone et anglophone : l'Afrique anglophone reste profondément « anglaise » et l'Afrique francophone « française » dans son organisation et ses modalités de fonctionnement ce qui, au-delà de tout chauvinisme, jette un doute sur la viabilité des projets d'intégration panafricaine.

Si on restreint l'analyse au seul « pré carré », la France, c'est vrai, y fut longtemps en situation de quasi-monopole.

Pendant la Guerre froide, l'Afrique fut certes l'un des terrains d'affrontement des grandes puissances : les États-Unis, l'URSS, ainsi que la Chine qui y joua sa partition notamment en Guinée ou en Tanzanie. L'Ethiopie et la Somalie s'allièrent successivement à Moscou et à Washington pour se combattre. La décolonisation

---

23. Jacques Chirac s'était rendu en Angola en 1998, au Nigeria en 1999 et en Afrique du Sud en 2002. Nicolas Sarkozy s'est rendu en Afrique du Sud en février 2008 et en Angola en mai 2008 ; il a reçu le président nigérian à l'Elysée en juin 2008. Il ne s'est pas encore rendu au Nigéria ; mais le Premier ministre François Fillon y est allé en mai 2009.

24. Ainsi lors du sommet de Cannes de février 2007, si la totalité des Chefs d'États d'Afrique francophone étaient présents (à l'exception de l'Ivoirien Laurent Gbagbo et du Sénégalais Abdoulaye Wade retenu à Dakar par l'élection présidentielle), on note l'absence des Chefs d'État sud-africain, angolais, kenyan, libérien, ougandais, sierra-léonais, tanzanien…

25. Pas un seul membre du Commonwealth – sinon le Sri Lanka à la 18e place et l'Afrique du Sud à la 28e – ne figure dans les trente premiers bénéficiaires de l'APD française en 2005 hors allègement de dette (DGCID, *Notes du jeudi* n° 68, 18 janvier 2007).

portugaise donna lieu à une longue guérilla au Mozambique ou en Angola entre mouvements communistes et rebellions pro-occidentales. La CIA joua un rôle déterminant, au Congo belge, dans la destitution de Lumumba et l'accession au pouvoir de Mobutu. La France veilla jalousement à empêcher toute infiltration communiste dans son domaine africain – l'anticommunisme fut un des traits de caractère de Jacques Foccart. Mais ces jeux d'ombre n'eurent finalement guère d'impact sur la réalité quotidienne de l'Afrique où ni les Américains ni les Soviétiques ni même les Chinois ne s'implantèrent durablement : que le Bénin et le Congo aient flirté quelques années avec le marxisme-léninisme n'a tout compte fait pas changé grand chose à leurs relations avec Paris.

On a coutume de dire que la fin de la Guerre froide ayant fait perdre sa valeur stratégique à l'Afrique, elle a provoqué le désintérêt des grandes puissances pour le continent. C'est peut-être une erreur de perspective. La surprise provoquée par la chute du mur de Berlin, les défis posés par la réunification du continent européen ont certes à très court terme entraîné une réduction de l'aide publique au développement des États européens (voir *supra* p. 40). Les superpuissances américaine et soviétique ont quant à elles cessé de soutenir leurs affidés, provoquant l'écroulement de régimes, voire d'États qui n'existaient que grâce à leur soutien : c'est le cas du Liberia en 1990, de la Somalie en 1991 ou du Zaïre en 1997. Les guerres qui prolifèrent hors du cadre binaire qui jusqu'alors les rendait intelligibles renvoient de l'Afrique l'image inquiétante d'une continent menacé par la violence « ethnique » tandis que le sida provoque une hausse alarmante de la mortalité. L'heure est aux plans d'ajustement structurel dictés par les institutions de Bretton Woods et aux opérations de maintien de la paix montées par l'ONU pour tenter de résoudre des conflits où ni les États-Unis, échaudés par leur mésaventure soma-lienne[26], ni la France, ralliée au ni-ni (Cf. *supra* p. 52), ne souhaitent plus être mêlés. Tout se passe comme si les institutions multilatérales remplaçaient les chan-celleries diplomatiques au chevet de l'Afrique.

---

26. En octobre 1993, 18 *Rangers* américains sont tués à Mogadiscio en tentant d'appré-hender un chef de guerre somalien, le général Aidid. Cet épisode, popularisé par le livre de Mark Bowden (1999) et le film de Ridley Scott *Black Hawk Down* (2001), traumatise l'opi-nion publique américaine et conduit l'administration Clinton à renoncer durablement à intervenir militairement en Afrique. On lui impute souvent la responsabilité de l'inaction américaine lors du génocide rwandais, six mois plus tard.

Mais l'afro-pessimisme qui prospère durant les années 1990 ne signifie pas que le monde se désintéresse de l'Afrique. Les États-Unis de Bill Clinton manifestent à l'égard de l'Afrique un intérêt jamais enregistré[27]. Le Japon augmente massivement son assistance au continent[28]. Même la Russie, une fois pansées les plaies de l'écroulement de l'URSS, revient en Afrique avec la diplomatie « tous azimuts » prônée par Vladimir Poutine[29].

Le plus intéressant est ailleurs. L'Afrique n'est plus seulement l'affaire des « vieilles » puissances du G7/G8. Depuis quelques années, elle suscite l'intérêt des États émergents : Chine, Inde, Brésil, Turquie… La nouveauté est double : d'une part des puissances moyennes développent une politique globale dans une région du monde exotique et marginale avec laquelle elles avaient jusqu'alors peu de liens ; d'autre part, l'Afrique, longtemps exclue des affaires du monde, semble au cœur d'une rivalité planétaire comme elle n'en avait plus connu depuis la fin du XIXe siècle[30].

2.1.2 Un enjeu de puissance pour les États-Unis et les économies émergentes

Que vont chercher ces nouveaux acteurs en Afrique ? Les motivations des uns et des autres sont peu ou prou les mêmes.

Le continent est d'abord **un réservoir de matières premières**. L'Afrique exporte des produits agricoles : café, cacao, coton, bois, noix de cajou, arachide, banane… Surtout, elle produit les métaux rares ou précieux dont les puissances industrialisées ont besoin : platine, chrome, manganèse, cobalt, vanadium, cassitérite… Le

27. William Zartman, « L'administration Clinton et l'Afrique : une appréciation d'ensemble », *Afrique contemporaine*, n° 197, 1er trimestre 2001, pp. 3-11 ; Stephen J. Morrison & Jennifer G. Cooke, *Africa Policy in the Clinton Years*, Center for Strategic and International studies, Washington, nov. 2001 (nous avons rendu compte de cet ouvrage dans *Politique étrangère*, 3/2002, juil.-sept. 2002, pp. 812-813).

28. Marc Aicardi de Saint-Paul, *Le Japon et l'Afrique. Genèse d'une relation atypique*, CHEAM-La Documentation française, 1999.

29. Mikhaïl Lebedev, « Les retrouvailles russo-africaines », *Géopolitique africaine*, n° 6, printemps 2002, pp. 107-114.

30. François Lafargue, « L'Afrique au cœur d'une rivalité mondiale », *Questions internationales*, n° 33, sept.-oct. 2008, pp. 21-27.

continent est également un producteur important d'uranium. Mais c'est le pétrole africain qui attise les plus grandes convoitises [31]. Contrairement aux idées reçues, l'Afrique ne représente que 7 % de la production mondiale avec 5,6 millions de barils par jour en 2007. Mais la production a crû rapidement (elle a été multipliée par 2,5 en vingt ans) et les perspectives sont prometteuses, notamment en *offshore* profond dans le golfe de Guinée – sous réserve toutefois que les prix du brut soient suffisamment élevés pour en maintenir la rentabilité. Dans un contexte de tensions politiques persistantes au Moyen-Orient, toutes les grandes puissances cherchent à diversifier leurs sources d'approvisionnement. Ainsi, entre 2000 et 2007, la part du continent africain dans les importations pétrolières des États-Unis est passée de 14,6 % à 19,4 % alors que celle du Moyen-Orient se réduisait de 22,6 % à 16,1 % [32]. La dépendance pétrolière de la Chine est plus forte encore : elle importe 28 % de son pétrole d'Afrique [33]. L'intérêt des puissances étrangères pour les ressources pétrolières et minières explique la géographie de leurs investissements : l'Afrique du Sud, l'Angola et le Soudan sont ainsi les trois principaux partenaires de la Chine en Afrique, le Nigeria est le premier partenaire commercial de l'Inde sur le continent. Que les points d'entrée de ces pays en Afrique soient extérieurs au « pré carré » n'est pas sans signification pour la France.

Les perspectives offertes par **l'immense marché intérieur africain** – qui compte aujourd'hui environ un milliard de consommateurs et pourrait en représenter près de deux en 2050 – intéressent également les pays exportateurs. Les pays industrialisés s'y livrent une concurrence féroce dans le domaine de la distribution d'énergie, d'eau, du transport maritime, des infrastructures portuaires, de la téléphonie mobile. Les États-Unis, par exemple, ont multiplié par deux leurs échanges avec l'Afrique entre 2004 et 2007. Le continent africain est également un marché prometteur pour les produits *made in China* (habillement, chaussure, petit électroménager, deux-roues, etc.) dont la modicité du coût est bien adaptée à des populations au pouvoir d'achat limité. Grâce à une main d'œuvre bon

---

31. Jean-Pierre Favennec & Philippe Copinschi, « Les nouveaux enjeux pétroliers en Afrique », *Politique africaine*, n° 89, mars 2003, pp. 127-148 ; Philippe Copinschi, « Le pétrole africain au cœur des convoitises internationales », *Questions internationales*, n° 33, sept.-oct. 2008, pp. 28-30.

32. Idem, p. 22.

33. Thierry Vircoulon, « La nouvelle question sino-africaine », *Études*, n° 4075, novembre 2007, p. 456.

marché et à une expertise éprouvée, le BTP chinois est très actif sur le continent, poursuivant une tradition qui remonte à la construction du chemin de fer *Tazara* entre la Zambie et la Rhodésie dans les années 1970 : des routes, des aéroports et des voies ferrées sont construites par la coopération chinoise en Angola, au Soudan ou au Gabon.

Les **ambitions politiques** ne sont pas étrangères à l'intérêt que ces acteurs extra-africains portent à l'Afrique. Le Japon, par exemple, a fait de la conquête d'un siège permanent au Conseil de sécurité de l'ONU un de ses objectifs principaux de politique étrangère qu'il ne pourra pas atteindre si les 53 voix africaines à l'ONU lui sont hostiles. L'Inde espère elle aussi un siège permanent au Conseil de sécurité et elle escompte de sa participation aux opérations de maintien de la paix (OMP) de l'ONU en Afrique, notamment au Soudan, au Liberia et en République démocratique du Congo, qu'elle donne l'image d'une puissance respectable. La Chine entend évincer du continent Taiwan qui entretenait pourtant des relations diplomatiques avec un grand nombre d'États africains (le Sénégal, le Niger, le Tchad, la République centrafricaine…) mais qui a vu ses alliés faire défection les uns après les autres au point de se réduire aujourd'hui à quelques confettis (Burkina Faso, Gambie, Sao-Tomé et Swaziland).

Les motivations politiques de la politique africaine des États-Unis sont différentes. Ils attachent moins d'importance aux voix africaines à l'ONU que le Japon ou l'Inde – même si le Cameroun, la Guinée et l'Angola, membres non permanents du Conseil de sécurité au moment du déclenchement de la guerre d'Irak en 2003, ont été l'objet de leur part d'importantes pressions. Les orientations de leur politique africaine sont influencées par des enjeux intérieurs : il s'agit d'une part d'amadouer la communauté afro-américaine en lui montrant qu'on se soucie du sort de ses « frères » outre-Atlantique, d'autre part de mettre en œuvre une politique compassionnelle, contre la pauvreté et les maladies, qui témoigne de l'altruisme et de la générosité de l'hyperpuissance américaine. À cela s'est ajoutée l'obsession anti-terroriste qui a conduit les Américains à ouvrir dans le Sahara un « second front » contre Al Qaida via l'Initiative transsaharienne de lutte contre le terrorisme (TSCTI) [34] ; mais cette menace s'est vite révélée moins inquiétante qu'on l'avait

---

34. Peter J. Schraeder, « La guerre contre le terrorisme et la politique américaine en Afrique », *Politique africaine*, n° 98, juin 2005, pp. 42-62.

pensé [35]. Il n'est pas évident que l'arrivée à la Maison Blanche de Barack Obama change les fondamentaux de cette politique. Sans doute effectuera-t-il rapidement un voyage très médiatique en Afrique, faisant escale au Kenya pour rendre visite à sa grand-mère paternelle et annonçant probablement une augmentation de l'aide américaine au continent. Mais passé l'engouement suscité par ce voyage, le soufflé retombera vite.

Comment se manifeste cet intérêt renouvelé ?

Il s'exprime d'abord à travers un **activisme diplomatique** auquel l'Afrique n'avait pas été habitué. Par exemple, depuis 1943, l'Afrique subsaharienne n'avait été visité qu'une seule fois par un Président américain en exercice [36] : il s'agissait du voyage de Jimmy Carter en 1978 au Nigeria et au Liberia. Elle le fut pas moins de quatre fois ces dix dernières années : deux fois par Bill Clinton (en 1998 et 2000), deux fois par George W. Bush (en 2003 et 2008). La percée chinoise en Afrique s'accompagne également de nombreuses visites de haut niveau : le Président Hu Jintao s'y est rendu en avril 2006 (Maroc, Nigeria, Kenya), en février 2007 (Cameroun, Liberia, Soudan, Zambie, Namibie, Afrique du Sud, Mozambique, Seychelles) et en février 2009 (Mali, Sénégal, Tanzanie, Île Maurice), le Premier ministre Wen Jiabao en juin 2006 (Egypte, Ghana, Congo, Angola, Afrique du Sud, Tanzanie, Ouganda). Quant au président Lula da Silva, il a déjà effectué sept voyages en Afrique, signe de l'intérêt croissant du Brésil pour le continent noir.

L'amitié revendiquée entre ces nouveaux acteurs et les États africains est célébrée à l'occasion de grandes rencontres internationales. En novembre 2006, le troisième forum sur la coopération Chine-Afrique (Focca) s'est tenu à Pékin. La publicité qui a été faite autour de ce sommet, au cours duquel la Chine a promis de doubler son aide aux pays africains et de leur accorder des prêts importants à des taux préférentiels, a largement nourri le soudain intérêt pour la « nouvelle question sino-africaine » [37]. Le Japon organise depuis 1993 des sommets similaires, les TICAD (*Tokyo International Conference on African Development*) dont la

---

35. International Crisis Group, *Islamism terrorism in the Sahel : fact or fiction ?* Africa report n° 92, mars 2005 ; Baz Lecocq et Paul Schrijver « The War of Terror in a Haze of Dust : Potholes and Pitfalls on the Saharan Front », *Journal of Contemporary African Studies*, janvier 2007, pp. 141-166.
36. André R. Lewin, « Les États-Unis et l'Afrique : plusieurs décennies de visites officielles réciproques », *Afrique contemporaine*, n° 197, 1er trimestre 2001, pp. 24-30.
37. Thierry Vircoulon, op. cité.

quatrième édition a eu lieu en mai 2008 [38]. Le Brésil, dont la sphère d'influence naturelle en Afrique est constituée par les pays lusophones membres de la CPLP, a organisé en novembre 2006 un premier sommet Afrique-Amérique du Sud. L'Inde a accueilli à New Delhi en avril 2008 un sommet Inde-Afrique. Il n'est pas jusqu'à la Turquie qui n'ait organisé son sommet africain avec une quarantaine de pays invités à Istanbul en août 2008. C'est avec la France qu'avait été lancée la mode de ces grands-messes internationales en 1973 avec les sommets Afrique-France qui se tenaient chaque année, alternativement en France et en Afrique, et qui se tiennent désormais tous les deux ans pour tenir compte des sommets UE-Afrique et des sommets de la Francophonie. Paradoxalement, alors que la formule fait florès dans le reste du monde, les sommets Afrique-France sont en crise. Nicolas Sarkozy souhaite les sortir de leur routine empesée et a spécialement nommé fin 2008 un ambassadeur itinérant chargé de recueillir l'avis des Chefs d'État africains et de lui soumettre des propositions de réforme.

Au-delà de ces rencontres diplomatiques, l'intérêt de ces nouvelles puissances se manifeste par **une présence économique en forte croissance**. Alors que le commerce extérieur africain était quasi-exclusivement orienté vers l'Europe et l'Amérique du Nord [39], la Chine, l'Inde, le Brésil font depuis quelques années leur apparition dans la liste des principaux partenaires commerciaux des pays africains. Les échanges entre l'Afrique et la Chine ont été multipliés par cinq entre 2000 et 2006 passant de 10 à 55 milliards de dollars. On estime qu'ils atteindront 100 milliards en 2010 [40]. Le montant des échanges commerciaux avec le Brésil a été multiplié par quatre entre 2002 et 2007 ; celui des échanges avec l'Inde a sextuplé entre 2000 et 2007 [41] ; avec la Turquie, on est passé de 5 à 13 milliards de dollars entre 2003 et 2007.

---

38. Julien Keita, « La 4e TICAD : accélération de la coopération Japon-Afrique », *Lettre du Centre Asie Ifri*, n° 26, juin 2008.
39. Il faut toutefois noter la place des Émirats arabes unis, plate-forme commerciale par laquelle transitent les importations et les exportations des biens manufacturés africains, et constituant pour ce motif l'un des tous premiers partenaires commerciaux de certains États africains, notamment en Afrique orientale (voir l'ouvrage collectif de Roland Marchal *Dubai cité globale*, CNRS Editions, coll. Espaces & Milieux, 2001).
40. Serge Michel & Michel Beuret, op. cité, p. 13.
41. L'Inde est le premier importateur mondial d'anacarde qu'elle transforme et réexporte vers l'Europe et les États-Unis sous la forme de noix de cajou. Ses principaux fournisseurs sont la Côte d'Ivoire et la Guinée Bissao – laquelle réalise 72 % de ses exportations officiellement recensées par le service des douanes vers l'Inde.

2.2 ... mais elle conserve une position dominante

2.2.1 *Une sollicitude qui ne va pas sans inconvénients*

L'Afrique a trouvé son compte à collaborer avec ces nouveaux acteurs.

Elle s'est ouverte de nouveaux marchés pour ses exportations de matières premières agricoles et minières : la demande chinoise soutenue de pétrole et de minerais tire les prix à la hausse et profite aux exportateurs africains. L'Afrique importe, notamment de Chine, des biens de consommation courante à meilleur coût. Ces nouveaux partenaires commerciaux permettent à l'Afrique de diversifier ses débouchés et de faire jouer la concurrence : le Niger peut se permettre de renégocier avec la France l'accord préférentiel de fourniture d'uranium car d'autres acheteurs potentiels, tels que le Japon, les États-Unis ou la Chine, poussent les prix à la hausse.

Elle trouve dans ce dialogue Sud-Sud une alternative séduisante au « consensus de Washington » que les puissances occidentales lui dictent depuis une vingtaine d'années. Car la Chine, l'Inde, le Brésil, se font les défenseurs d'un mode de développement différent de celui prôné par les institutions de Bretton Woods. À rebours des politiques de développement néo-libérales, ils prônent une relation « gagnant-gagnant » respectueuse de la souveraineté de chacun et excluant toute conditionnalité politique. L'Afrique, épuisée par les plans d'ajustement structurel et exaspérée par les conditionnalités politiques qui accompagnent l'aide occidentale qui lui est chichement distribuée, est évidemment séduite par le nouveau « consensus de Pékin »[42]. Certains régimes africains, mis au ban de la communauté internationale, trouvent avec ces nouveaux partenaires le moyen de rompre leur isolement diplomatique. Le Soudan, qui vend les deux tiers de son pétrole à la Chine, a pu longtemps compter sur son soutien au Conseil de sécurité de l'ONU pour bloquer l'adoption de résolutions trop contraignantes sur le Darfour ; alors qu'il vient d'être mis en cause par la Cour pénale internationale, le président soudanais peut narguer la communauté internationale en participant à Istanbul au sommet Turquie-Afrique en août 2008. Le Zimbabwe de Robert Mugabe, en réaction aux

---

42. J.-C. Ramo, *The Beijing Consensus : Notes on the New Physics of Chinese Power*, The Foreign Policy Center, Londres, 2004, cité par Thierry Vircoulon, op. cité, p. 453.

sanctions dont il fait l'objet, a développé une *Look east policy* visant à remplacer les investisseurs occidentaux par des investisseurs asiatiques[43].

Pour autant, cette coopération n'est pas sans présenter certains inconvénients dont l'Afrique, passée l'euphorie de la lune de miel, prend progressivement conscience.

Les relations que ces nouveaux acteurs, la Chine au premier chef, entretiennent avec l'Afrique ne sont pas aussi « gagnant-gagnant » qu'on ne le dit. En important des matières premières et en exportant des produits finis, la Chine reproduit en effet un schéma d'exploitation coloniale. Elle accentue la mono-spécialisation des économies africaines comme le faisaient jadis les métropoles coloniales qui n'avaient pas encouragé la transformation sur place des matières premières qui y étaient produites. Sans doute, l'exportation du pétrole et des richesses minières gonfle-t-elle les caisses de l'État ; mais ces rentes font courir aux sociétés qui les perçoivent le risque d'être frappées par le « syndrome hollandais » : captation des bénéfices par les élites, désaffection des autres secteurs de l'économie nationale, fragilité accrue face aux fluctuations des cours mondiaux, appréciation de la monnaie, risque de multiplication des conflits pour s'approprier les richesses naturelles… Ce phénomène est d'autant plus préoccupant que les pratiques de ces nouveaux acteurs ne s'embarrassent guère du respect des règles de bonne conduite[44]. Ils n'hésitent pas à recourir à la corruption ce qui encourage les kleptocraties africaines. Ils s'exonèrent du paiement des impôts et des taxes au risque de décrédibiliser l'État. Ils ne respectent pas les normes environnementales provoquant au Cameroun ou au Congo-Brazzaville de véritables désastres écologiques. Ils accordent à des économies déjà lourdement endettées des prêts « insoutenables »[45].

L'Afrique prend peu à peu conscience des dangers de cette situation. Les Chinois qui s'y expatrient souffrent d'une image détestable. Ils y vivent en petites

---

43. Friedrich Ebert Stiftung, *The 'Look East Policy' of Zimbabwe now focuses on China*, Harare, novembre 2004 (accessible à http://library.fes.de/pdf-files/iez/50063.pdf).

44. Le journaliste Yves Hardy donne dans *Afrique, pillage à huis clos* (Fayard, 2006) quelques exemples inquiétants.

45. La Chine a ainsi signé avec la République démocratique du Congo un protocole d'accord d'un montant de neuf milliards de dollars, partiellement remboursable en titres miniers, dont s'est ému le FMI (« Le FMI inquiet d'un prêt colossal de la Chine au Congo Kinshasa », *Le Figaro*, 22 octobre 2007).

communautés, refermées sur elles-mêmes, sans nouer de contact avec la population africaine dont ils ne font pas l'effort d'apprendre la langue. Les entrepreneurs chinois emploient peu de main d'œuvre africaine, ce qui signifie que les investissements qu'ils réalisent ne profitent guère à l'économie locale. Quand ils recourent à la main d'œuvre locale, ils leur imposent des conditions de travail très dures, en violation avec le droit national. On voit ici et là se développer des sentiments antichinois : au Sénégal où les petits commerçants se sont ligués pour interdire aux marchands chinois de leur faire concurrence[46], en Zambie où une cinquantaine d'ouvriers africains d'une usine de dynamite de la Copperbelt sont morts dans un accident provoqué par la violation des règles de sécurité par l'employeur chinois[47].

2.2.2 La France, moins menacée qu'on ne le croit

Comment réagit la France face à cette percée ? Fort diplomatiquement, elle s'en félicite.

« La concurrence est plus forte aujourd'hui qu'hier ? Tant mieux ! C'est la preuve que l'Afrique intéresse, que l'Afrique s'insère dans la mondialisation. (…) La présence des Américains et des Chinois en Afrique n'est pas moins légitime que celle d'autres. Les besoins sont tels que chacun y a sa place. »

affirme Nicolas Sarkozy, un poil bravache, à Cotonou en mai 2006. Fait-elle contre mauvaise fortune bon cœur ? Sans doute. Elle ne se grandirait pas – et commettrait au surplus une faute diplomatique – en considérant que l'Afrique constitue une « chasse gardée » que la pénétration commerciale d'un nouvel acteur menace. Victimes du « syndrome de Fachoda », de nombreux acteurs français en Afrique agitent périodiquement le spectre de la menace de nouveaux compétiteurs. Il y a une dizaine d'années, on l'a dit, c'était contre les États-Unis qu'il fallait se prémunir. À l'époque, on voyait la main de l'oncle Sam partout : dans l'éviction de la France des Grands Lacs, dans la défaite de Abdou Diouf au Sénégal, dans la victoire du peu francophile Marc Ravalomanana à Madagascar. Aujourd'hui qui parle encore de la menace américaine ? Une menace chassant l'autre, Pékin a

---

46. Sylvie Bredeloup & Brigitte Bertoncello, « La migration chinoise en Afrique : accélérateur du développement ou "sanglot de l'homme noir" ? », *Afrique contemporaine*, n° 218, 2006-2, p. 216.
47. Serge Michel y consacre un article dans l'édition du *Monde 2* du 25 octobre 2008 intitulée : « Chine-Afrique : quand l'histoire tourne mal ».

remplacé Washington dans le rôle du grand méchant. Dans les descriptions qu'on entend de la « Chinafrique », on lit en filigrane le projet expansionniste d'une puissance hostile, décidée à conquérir le monde en commençant par ses marges les plus fragiles[48].

À supposer que cela soit vrai, cela serait-il si grave ? On se tromperait en considérant que la France considère l'Afrique comme sa « chasse gardée ». Peut-être fut-ce le cas à une époque, en un temps où sa puissance dépendait de la domination qu'elle exerce sur l'Afrique ou, à tout le moins, sur ses colonies en Afrique. Mais aujourd'hui, sa puissance ne dépend plus de l'Afrique. Peu lui importe que la paix et la sécurité y soient désormais garanties dans un cadre européanisé : être l'exclusif gendarme de l'Afrique n'est pour elle d'aucun bénéfice. L'aide publique au développement ? Depuis qu'elle est déliée elle est d'un intérêt économique moindre. Autant dès lors que d'autres bailleurs de fond s'intéressent à l'Afrique pour l'aider à combattre la pauvreté. Les approvisionnements en matières premières et les parts de marché des entreprises françaises ? Nicolas Sarkozy a affirmé à Bamako en mai 2006 :

> « La France n'a plus besoin économiquement de l'Afrique (…). Les relations entre la France et l'Afrique ne sont pas conditionnées par des intérêts économiques. Ceux qui pensent cela commettent une grave erreur. C'était vrai du temps de la colonisation. Ce n'est plus vrai du temps de la démocratie ».

Le propos, aussi provocateur soit-il, n'en est pas moins pertinent : le poids de la zone franc dans le commerce extérieur français est tombé à seulement 1 % en 2006[49]. Dans ces conditions, la perte de quelques marchés africains, si elle émeut les quelques groupes français qui détiennent encore des rentes de situation en Afrique (Bolloré, Bouygues, Total, Accor …), ne menace nullement les équilibres macroéconomiques de la France.

Mais, pour autant, cette menace est exagérée. Sans doute l'Afrique s'ouvre à de nouveaux partenaires. Ce faisant, elle entre à son tour de plain pied dans une mondialisation caractérisée par la multiplication des échanges et la diversification des partenaires. Sans doute ces nouveaux acteurs enregistrent-ils une croissance

---

48. Le livre *Planète chinoise* du journaliste Philippe Hauter, rédacteur en chef du Figaro, est assez caractéristique de cette paranoïa du « péril jaune » (Carnets Nord, 2008).
49. Philippe Hugon, « La politique économique de la France en Afrique », *Politique africaine*, n° 105, mars 2007, p. 56.

très rapide de leurs parts de marchés. Mais on oublie trop souvent qu'ils partaient de très bas. Par goût du sensationnalisme, on a tendance à présenter leur percée en des termes guerriers. On parle de « conquête », d'« expansion », de « convoitise », de nouveau « Grand jeu » comme si l'Afrique était un échiquier où les grandes puissances avanceraient leurs pions. C'est prêter aux acteurs des relations internationales une capacité d'organisation qu'ils n'ont pas. Qu'il s'agisse des États-Unis hier ou de la Chine aujourd'hui, on se tromperait en croyant qu'ils ont fomenté un plan stratégique de conquête du marché africain entraînant l'éviction de la France. Ni les uns ni les autres ne cherchent à conquérir le monde. Mais ils souhaitent seulement que leurs entreprises et leurs ressortissants puissent s'établir et prospérer sur le continent africain [50].

C'est pourquoi l'on a tort de céder à la tentation de la formule facile et de parler, comme le font Serge Michel et Michel Beuret dans l'ouvrage précité, de la « Chinafrique ». La relation franco-africaine et la relation sino-africaine ne sont en rien comparables. Si la France et l'Afrique ont, après la colonisation, maintenu une relation symbiotique étroite et parfois malsaine, rien de tel dans la relation sino-africaine. Dans un cas, on est face à un véritable « complexe », la Françafrique, fruit d'une longue connivence linguistique, culturelle, politique, financière ; dans l'autre, ce qui frappe, c'est au contraire la diversité des acteurs et des stratégies. Antoine Kernen – qui est un rare spécialiste de la Chine à s'être intéressé à un sujet traditionnellement traité par les seuls africanistes – a raison de dénoncer cette lecture paranoïaque de la percée chinoise qui croit deviner derrière la présence économique et humaine croissante des Chinois sur le continent l'exécution soigneusement planifiée d'une politique expansionniste. « Il est nécessaire, dit-il, de déconstruire cette catégorie par trop globalisante de "Chinois en Afrique" » [51]. Des travaux de terrain pointus, menés par des géographes, des sociologues ou des anthropologues, dévoilent la variété sinon l'impréparation des parcours des immigrants chinois [52]. Sylvie Bredeloup et Brigitte Bertoncello ont ainsi étudié les

50. Jacques Mesnier, « Politique américaine en Afrique ; un point de vue français », *Géopolitique* n° 63, octobre 1998, p. 85.

51. Antoine Kernen, « Les stratégies chinoises en Afrique : du pétrole aux bassines en plastique », *Politique africaine*, n° 105, mars 2007, p. 177.

52. Antoine Kernen & Benoît Vulliet, « Petits commerçants et entrepreneurs chinois au Mali et au Sénégal », *Afrique contemporaine*, numéro spécial « Les trajectoires de la Chine-Afrique », n° 228, 228/4, pp. 69-94.

migrants chinois au Sénégal et au Cap-Vert et en tirent la conclusion que : « *La diaspora chinoise essaime un peu partout dans l'ensemble régional africain sans programmation arrêtée de ses parcours migratoires, sans stratégie élaborée* » [53].

Quoi qu'il en soit, la percée de ces nouveaux acteurs s'effectue principalement dans des pays extérieurs au « pré carré ». Les principaux partenaires commerciaux de la Chine sont, on l'a dit, l'Afrique du Sud, l'Angola et le Soudan. L'Inde entretient les relations les plus actives avec les pays riverains de l'Océan Indien où vivent d'importantes communautés indiennes et ismaéliennes [54]. Le Brésil s'appuie en priorité sur les pays lusophones. Dans les pays francophones, la France n'est plus seule ; mais elle est encore prédominante. Les Français y sont la communauté expatriée la plus nombreuse : on compte environ 20 000 Français au Sénégal – dont la moitié de binationaux – contre le nombre dérisoire de 200 Britanniques et d'un millier environ de Chinois. L'ambassadeur de France à Dakar est la personnalité la plus importante du corps diplomatique, celle vers laquelle ses collègues se tournent pour avoir de l'information, celle qui a le privilège d'être reçu fréquemment par le Chef de l'État – alors que la plupart des ambassadeurs ne le rencontrent en tête-à-tête que pour lui remettre leurs lettres de créances et à l'occasion de leur visite de départ. On croise, aux fins fonds de la savane sénégalaise, quelques jeunes américains du *Peace Corps* qui parlent couramment le diola ou le pulaar et qui aident à la construction d'un puits ou d'une école ; mais les Américains sont étonnamment absents de la vie sénégalaise. Alors, bien sûr, on a beaucoup glosé sur l'américanophilie du Président Abdoulaye Wade et de son fils – qui a un temps travaillé à la City pour la banque d'affaires UBS Warburg. On a fait grand cas des voyages du Président Wade en Chine populaire – avec laquelle le Sénégal n'a renoué des relations diplomatiques qu'en octobre 2005 – et plus encore des liens développés avec les monarchies du Golfe à l'occasion du sommet de l'Organisation de la conférence islamique (OCI) à Dakar en mars 2008. Pour autant, il est frappant de constater la place qu'occupe encore la France au Sénégal, dans l'économie locale (où les entreprises françaises réalisent un quart du PIB et génèrent 28 % des rentrées fiscales), dans la vie diplomatique et plus que tout dans les mentalités.

---

53. « La migration chinoise en Afrique : accélérateur du développement ou "sanglot de l'homme noir" ? », op. cité, p. 221.
54. François Lafargue, « L'Inde en Afrique : logiques et limites d'une politique », *Afrique contemporaine*, n° 219, 2006-3, pp. 137-149.

RÉSUMÉ

La politique africaine de la France est compliquée par l'apparition de nouveaux acteurs de deux ordres. Les premiers sont français. L'État, en France, n'a pas en effet le monopole de la relation franco-africaine et doit s'accommoder de l'action de plus en plus visible des entreprises, des ONG, des collectivités locales. Les seconds sont étrangers. Le temps n'est plus où la France possédait en Afrique un « pré carré ». On a beaucoup glosé sur les ambitions des États-Unis ou de la Chine par exemple dont le dynamisme est mis en regard du soi-disant déclin de l'influence de la France. Pour autant, si la France n'est certes plus seule en Afrique, elle conserve dans son ancien « pré carré » une position dominante.

La politique africaine de la France voit s'affronter deux clans. D'un côté les Anciens. De l'autre les Modernes. Ces deux écoles, que Daniel Bourmaud avait identifiées dans l'entourage du Président Chirac [1], défendaient deux attitudes bien distinctes face à l'Afrique. Les Anciens, autour de Jacques Foccart, voulaient que soient préservés les liens spécifiques qui unissaient la France et l'Afrique. Les Modernes, proches d'Edouard Balladur et d'Alain Juppé, appelaient de leurs vœux la réforme de la relation franco-africaine et sa banalisation.

La définition de la politique voit s'opposer, aujourd'hui encore, autour de Nicolas Sarkozy, les tenants d'une politique normalisée à ceux qui refusent que soit signé l'acte de décès de la Françafrique : d'un côté Jean-Marie Bockel et Bruno Joubert, de l'autre Alain Joyandet et Robert Bourgi, disciple revendiqué de Jacques Foccart. Cette opposition vaut à Paris comme en Afrique : les Chefs d'États de l'Afrique francophone, Omar Bongo en tête, appartiennent d'autant plus volontiers au clan des Anciens qu'ils sont au pouvoir depuis longtemps tandis que les opposants comme la société civile vouent aux gémonies la Françafrique.

Cette tension entre Anciens et Modernes, entre conservateurs et réformistes, se retrouve dans tous les domaines de la relation franco-africaine. Ainsi, dans l'aide au développement, les anciens de la rue Monsieur revendiquent un savoir-faire, étranger aux diplomates, qui aurait été perdu avec la disparition du ministère de la Coopération. Les agents de l'AFD prônent au contraire une approche résolument « moderne » de l'Afrique qui entend rompre avec les pratiques paternalistes et clientélistes du passé. Dans les armées, les troupes de marine incarnent la tradition là où les gendarmes, à cheval entre le ministère de la Défense et celui de l'Intérieur, ont une approche moins guerrière. Face à la Commission européenne qui joue un rôle de plus en plus important en Afrique, les attitudes sont également très marquées : les Modernes jouent le jeu de la concertation européenne, considérant que l'Europe est un amplificateur de puissance, là où les Anciens estiment que les autres Européens ne connaissent rien à l'Afrique et que travailler avec eux est, au mieux, une perte de temps. Enfin, les Anciens accueillent avec suspicion l'émergence de nouveaux acteurs, qu'il s'agisse des États-Unis dont ils dénoncent l'arrogance ou la Chine à laquelle ils reprochent son mercantilisme. Les Modernes sont

---

1.   Daniel Bourmaud, « La politique africaine de Jacques Chirac : les anciens contre les modernes », *Modern and Contemporary France*, special issue « France and Black Africa », n° 4, 1996, pp. 431-442.

moins hostiles à cette concurrence accrue et estiment que l'arrivée de nouveaux acteurs constitue une opportunité pour l'Afrique.

Qu'on ne s'y méprenne pas. Il ne s'agit pas d'opposer les méchants Anciens aux gentils Modernes dans un combat manichéen. Vouloir conserver un lien spécifique entre la France et l'Afrique n'est pas en soi blâmable. On peut soutenir que l'histoire de la France en Afrique lui confère des responsabilités qu'elle se doit d'exercer selon des modalités qui sont différentes de celles qu'elle met en œuvre dans ses relations avec l'Asie ou l'Amérique par exemple. Inversement, la normalisation de la relation franco-africaine n'est pas souhaitée par les Africains eux-mêmes qui aspirent à recevoir de l'Europe en général et de la France en particulier un traitement préférentiel. Le refus massif des Accords de partenariats économiques (APE) durant l'hiver 2007 en est l'illustration.

Ce qui est blâmable, ce sont les pratiques opaques dont les Anciens n'ont nullement le monopole, les émissaires officieux, les réseaux informels et les lobbyistes grassement rémunérés. S'il faut chercher des méchants, c'est sans nul doute parmi les « sorciers blancs » que Vincent Hugeux prend pour cible (Cf. *supra* p. 158), gourous de la com', journalistes sans éthique, juristes sans morale… Ces « faux amis de l'Afrique » ne se recrutent pas exclusivement dans les réseaux Foccart même s'ils y ont souvent fait leurs classes. Ils ont su s'adapter au nouvel environnement et changer de maîtres lorsque les circonstances le leur imposaient.

Sans doute les Anciens finiront-ils par céder la place. Depuis Boileau, depuis Racine, l'Histoire ne leur donne-t-elle pas toujours tort ? Foccart est mort depuis plus de dix ans et ses disciples, de moins en moins nombreux, font l'amer constat de leur lente marginalisation. Même si Robert Bourgi semble jouir, depuis quelques mois, d'une influence exceptionnelle dans l'entourage de Nicolas Sarkozy, il ne pourra seul faire longtemps barrage aux diplomates et aux agents de l'AFD qui défendent une politique plus transparente. De même, les années passant, les anciens de la rue Monsieur sortiront du tableau, les assistants techniques se raréfieront encore plus, la spécificité de la Coop' se diluera dans les métiers de la diplomatie. Côté militaire, les troupes de marine conserveront peut-être encore leurs chasses gardées, mais à condition de s'européaniser.

La mort en juin 2009 d'Omar Bongo sonne peut-être le glas d'une époque. Faut-il s'en réjouir ? Sans nul doute la fin des réseaux Foccart ne fera pleurer personne. Il n'est pas sain que l'État, au plus haut niveau, se compromette dans des pratiques douteuses et laisse des intermédiaires peu scrupuleux se substituer aux représentants légaux de la puissance publique. Pour autant, il ne faut pas jeter le bébé avec l'eau du bain. Critiquer le traitement exorbitant des affaires africaines ne signifie pas *ipso facto* dénier à l'Afrique la possibilité que sa spécificité soit reconnue. Peut-être les Modernes vont-ils trop loin dans leur volonté de banalisation. Une voie moyenne n'est-elle pas concevable ?

CHRONOLOGIE

1659	Fondation de Saint-Louis-du-Sénégal
1685	Promulgation du code noir par Louis XIV
1763	À l'issue de la Guerre de Sept ans, le Traité de Paris prive la France de ses possessions du Sénégal
1802	Napoléon rétablit l'esclavage aboli en 1794 par la Convention
1804	Indépendance de Haïti
1827	Expédition de René Caillié à Tombouctou
1848	Abolition définitive de l'esclavage dans les colonies françaises par la IIe République
1854	Louis Faidherbe est nommé Gouverneur du Sénégal
1857	Création des tirailleurs sénégalais et fondation de Dakar
1874	Paul Leroy-Beaulieu publie *De la colonisation chez les peuples modernes*
1879	Signature du traité Brazza-Makoko établissant la souveraineté française au Congo
1885	La Conférence de Berlin réunit les principales puissances européennes qui se partagent l'Afrique
1885	Traité de Tamatave établissant un protectorat français à Madagascar
1888	Création de Djibouti
1889	Création de l'École coloniale rebaptisée École nationale de la France d'outre-mer (ENFOM) en 1934
1889	Exposition universelle de Paris (pavillons coloniaux)
1894	Création du ministère des colonies
1895	Création de l'Afrique occidentale française (AOF)
1898	Fachoda : la mission Marchand se heurte aux troupes anglaises de Kitchener
1899	Mission Voulet-Chanoine
1902	Transfert de Saint-Louis à Dakar de la capitale de l'AOF
1910	Création de l'Afrique équatoriale française (AEF) dont la capitale est fixée à Brazzaville
1910	Le colonel Mangin publie *La force noire*
1919	Première exposition d'Art nègre à Paris
1924/25	La Croisière noire
1930	Publication de *Tintin au Congo*
1931	Exposition coloniale au bois de Vincennes
1931	Création du Commonwealth
1944	Conférence de Brazzaville
1945	Création du Franc CFA
1946	Création de l'Union française
1947	Insurrection et répression sanglante à Madagascar
1956	Loi-cadre Defferre

1958	Référendum et création de la Communauté – Indépendance de la Guinée
1960	Proclamation des indépendances
1962	René Dumont publie *L'Afrique noire est mal partie*
1963	Accords de Yaoundé entre la Communauté économique européenne (CEE) et les pays ACP (Afrique Caraïbes Pacifique)
1973	Premier sommet franco-africain
1975	La Convention de Lomé remplace les accords de Yaoundé
1977	Indépendance de Djibouti
1977	Sacre de l'empereur Bokassa Ier
1978	La légion saute sur Kolwezi
1982	Démission de Jean-Pierre Cot, ministre de la coopération
1986	Premier sommet de la Francophonie
1986	Début de l'opération Epervier au Tchad
1990	Discours de La Baule
1993	Mort de Félix Houphouët-Boigny
1994	Dévaluation du franc CFA
1994	Génocide au Rwanda et Opération Turquoise
1997	Mort de Jacques Foccart
1988	François-Xavier Verschave publie *La Françafrique*
1999	Le ministère de la coopération est intégré aux Affaires étrangères
1999	Putsch militaire en Côte d'Ivoire : le général Gueï renverse le Président Bédié
2000	Élection de Laurent Gbagbo en Côte d'Ivoire
2003	Stephen Smith publie *Négrologie*
2003	Accord de Linas-Marcoussis sur la Côte d'Ivoire
2004	Raid aérien contre la base militaire française de Bouaké en Côte d'Ivoire et contre-attaque française
2005	Appel des « Indigènes de la République »
2005	Loi du 23 février dont l'article 4 encourage les programmes scolaires français à reconnaître « le rôle positif de la présence française outre-mer, notamment en Afrique du Nord »
2005	Décès du président togolais Eyadéma remplacé par son fils Faure Gnassingbé
2006	Inauguration du musée du Quai-Branly
2006	*Indigènes* de Rachid Bouchareb
2007	Discours de Nicolas Sarkozy à Dakar
2008	Jean-Marc Bockel veut signer « l'acte de décès de la Françafrique »
2008	Discours de Nicolas Sarkozy au Cap
2008	Alain Joyandet remplace Jean-Marc Bockel au ministère de la Coopération
2009	Décès du président gabonais Omar Bongo

ADDA, Jacques, SMOUTS, Marie-Claude, *La France face au Sud. Le miroir brisé*, Karthala, 1989.

ALMEIDA (d')-TOPOR Hélène, *L'Afrique*, Le Cavalier bleu Editions, coll. Idées reçues, 2006.

Assemblée nationale, 26 septembre 2001, Rapport d'information n° 3283 sur la réforme de la coopération déposé par la commission des finances, de l'économie générale et du plan et présenté par M. Alain Barrau.

Assemblée nationale, 17 décembre 2008, Rapport d'information n° 1332 sur la politique de la France en Afrique déposé par la commission des affaires étrangères présenté par M. Jacques Rémiller.

BA KONARE, Adama (dir.), *Petit précis de remise à niveau sur l'histoire africaine à l'usage du Président Sarkozy*, La Découverte, 2008.

BAGAYOKO-PENONE, Niagalé, *Afrique : les stratégies française et américaine*, L'Harmattan, 2004.

BANCEL, Nicolas, BLANCHARD, Pascal et VERGES, Françoise, *La République coloniale. Essai sur une utopie*, Albin Michel, 2003.

BAYART, Jean-François, *La politique africaine de François Mitterrand*, Karthala, 1984.

BAYART, Jean-François, *L'État en Afrique. La politique du ventre*, Fayard, 1989.

BERTRAND, Romain, *Mémoires d'empire. La controverse autour du « fait colonial »*, Editions du Croquant, 2006.

BIARNES, Pierre, *Les Français en Afrique noire. De Richelieu à Mitterrand*, Armand Colin, 1987.

BIARNES, Pierre, *La fin des cacahouètes*, L'Harmattan, 2005.

BLANCHARD, Pascal, BANCEL, Nicolas, LEMAIRE, Sandrine (dir.), *La Fracture coloniale. La société française au prisme de l'héritage colonial*, La Découverte, 2005.

BLANCHARD, Pascal, BANCEL, Nicolas, LEMAIRE, Sandrine (dir.), *Culture coloniale en France. De la Révolution française à nos jours*, CNRS/Autrement, 2008.

BRUCKNER, Pascal, *Le sanglot de l'homme blanc*, Seuil, 1983.

CHAMPEAUX, Antoine, DEROO, Eric, *La force noire. Gloire et infortunes d'une légende coloniale*, Tallandier, 2006.

CHRETIEN, Jean-Pierre (dir.), *L'Afrique de Sarkozy. Un déni d'histoire*, Karthala, 2008.

COHEN, William B., *Français et Africains. Les Noirs dans le regard des Blancs 1530-1880*, Gallimard, 1981.

Les collections de l'Histoire, H.S. n° 11, avril 2001, « Le temps des colonies ».

CONKLIN, Alice, *A Mission to Civilize. The Republican Idea of Empire in France and West Africa, 1895-1939*, Stanford University Press, 1997.

COQUIO, Catherine (dir.), *Retour du colonial ? Disculpation et réhabilitation de l'histoire coloniale française*, L'Atalante, 2008.

COURADE, Georges (dir.), *L'Afrique des idées reçues*, Belin, 2006.

DEROO, Eric, LEMAIRE, Sandrine, *L'illusion coloniale*, Tallandier, 2006.

DIOP, Boubacar Boris, TOBNER, Odile, VERSCHAVE, François-Xavier, *Négrophobie*, Les Arènes, 2005.

DOWDEN, Richard, *Africa : Altered States, Ordinary Miracles*, Portobello Books Ltd., 2008.

DOZON, Jean-Pierre, *Frères et sujets. La France et l'Afrique en perspective*, Flammarion, 2003.

DUMONT, René, *L'Afrique noire est mal partie*, Seuil, 1962.

Esprit, août 2005, « Vues d'Afrique ».

Esprit, décembre 2006, « Pour comprendre la pensée post-coloniale ».

FERRO, Marc (dir.), *Le livre noir du colonialisme. XVIe - XXIe siècle : de l'extermination à la repentance*, Robert Laffont, 2003.

GABAS, Jean-Jacques, *Nord-Sud. L'impossible coopération*, Presses de Sciences-Po, 2002.

GASSAMA, Makhily (*et alii*), *L'Afrique répond à Sarkozy. Contre le discours de Dakar*, Philippe Rey, 2008.

GAULME, François, *Intervenir en Afrique ? Le dilemme franco-britannique*, Les notes de l'Ifri, n° 34, 2001.

GAYE, Adama, *Chine-Afrique : Le dragon et l'autruche*, L'Harmattan, 2006.

GIRARDET, Raoul, *L'idée coloniale en France*, La Table ronde, 1972.

GLASER, Antoine, SMITH, Stephen, *Comment la France a perdu l'Afrique*, Calmann-Lévy, 2005.

GLASER, Antoine, SMITH, Stephen, *Sarko en Afrique*, Plon, 2008.

GOUREVITCH, Jean-Paul, *La France en Afrique. Cinq siècles de présence : vérités et mensonges*, Acropole, 2006.

Hérodote, n° 120, 1er trimestre 2006, « La question postcoloniale ».

L'Histoire, n° 280, octobre 2003, numéro spécial « La vérité sur l'esclavage ».

L'Histoire, n° 302, octobre 2005, numéro spécial « La colonisation en procès ».

HUGEUX, Vincent, *Les sorciers blancs. Enquête sur les faux amis de l'Afrique*, Fayard, 2007.

KELMAN, Gaston, *Je suis noir et je n'aime pas le manioc*, Max Milo, 2004.

LA GUERIVIERE, Jean (de), *Les fous d'Afrique. Histoire d'une passion française*, Seuil, Coll. L'histoire immédiate, 2001.

LE COUR GRANDMAISON, Olivier, *La République impériale : politique et racisme d'État*, Fayard, 2009.

LEFEUVRE, Daniel, *Pour en finir avec la repentance coloniale*, Flammarion, 2006.

LEYMARIE, Philippe, PERRET, Thierry, *Les 100 clés de l'Afrique*, Paris, Hachette Littératures/RFI, 2006.

LIAUZU, Claude (dir.), *Dictionnaire de la colonisation française*, Larousse, 2007.

LIAUZU, Calude, MANCERON, Gilles (dir.) *La colonisation, la loi et l'histoire*, Syllepse, 2006.

LUGAN, Bernard, *Pour en finir avec la colonisation*, Editions du Rocher, 2006.

MARSEILLE, Jacques, *Empire colonial et capitalisme français, Histoire d'un divorce*, Albin Michel, 1984.

MBEM, André Julien, *Nicolas Sarkozy à Dakar. Débats et enjeux autour d'un discours*, L'Harmattan, 2007.

MEIMON, Julien, En *quête de légitimité. Le ministère de la Coopération (1959-1999)*, thèse de science politique, Université Lille-II, 2005.

Mémorandum de la France sur ses politiques et programmes en matière d'aide publique au développement, décembre 2007.

MESSMER, Pierre, *Les blancs s'en vont. Récits de décolonisation*, Albin Michel, 1998.

MICHAÏLOF, Serge (dir.), *La France et l'Afrique. Vade-mecum pour un nouveau voyage*, Karthala, 1993.

MICHEL, Serge, BEURET, Michel, *La Chinafrique*, Grasset, 2008.

N'DIAYE, Tidiane, *Le génocide voilé : enquête historique*, Gallimard, Continents noirs, 2008.

NDIAYE, Pap, *La condition noire. Essai sur une minorité française*, Calmann-Lévy, 2008.

NEGRONI, François (de), *Les colonies de vacances. Portrait du coopérant français dans le tiers-monde*, Haller, 1977.

NEGRONI, François (de), *Afriques fantasmes*, Plon, 1992.

NGOUPANDE, Jean-Paul, *L'Afrique sans la France*, Albin Michel, 2002.

OCDE, Examen de l'aide française par les pairs du Comité d'aide au développement, 2008.

PEAN, Pierre, *L'homme de l'ombre. Eléments d'enquête autour de Jacques Foccart, l'homme le plus mystérieux et le plus puissant de la Ve République*, Fayard, 1990.

PETRE-GRENOUILLEAU, Olivier, *Les traites négrières. Essai d'histoire globale*, Gallimard, 2004.

Politique africaine, n° 105, mars 2007, « France-Afrique. Sortir du pacte colonial ».

Politique africaine, n° 102, juin 2006 « Passés coloniaux recomposés. Mémoires grises en Europe et en Afrique ».

Politique africaine, n° 58, juin 1995, « Mitterrand et l'Afrique ».

Questions internationales, n° 33, sept.-oct. 2008, « L'Afrique en mouvement ».

La Revue internationale et stratégique, n° 33, printemps 1999, « L'Afrique entre guerre et paix ».

RICHER, Philippe, *L'offensive chinoise en Afrique*, Karthala, 2008.

RIGOUSTE, Mathieu, *L'ennemi intérieur. La généalogie coloniale et militaire de l'ordre sécuritaire dans la France contemporaine*, La Découverte, 2009.

RIOUX, Jean-Pierre (dir.), *Dictionnaire de la France coloniale*, Paris, Flammarion, 2007.

ROCARD, Michel, *Pour une autre Afrique*, Flammarion, 2001.

SADOULET, David, *La coopération au développement en France (1997-2004). Réforme et modernisation de l'État*, L'Harmattan, 2007.

Sénat, 30 octobre 2001, Rapport d'information n° 46 sur la réforme de la coopération fait au nom de la commission des Affaires étrangères, de la défense et des forces armées par M. Guy Penne, Mme Paulette Brisepierre et M. André Dulait.

Sénat, 3 juillet 2006, Rapport d'information n° 450 sur la gestion des crises en Afrique sub-saharienne fait au nom de la commission des Affaires étrangères, de la défense et des forces armées par MM. André Dulait, Robert Hue, Yves Pozzo di Borgo et Didier Boulaud.

SMITH, Stephen, *Négrologie : pourquoi l'Afrique se meurt ?*, Calmann-Lévy, 2003.

SMITH, Stephen, GLASER, Antoine, *Ces messieurs Afrique. Le Paris-village du continent noir*, Calmann-Levy, 1992.

SMITH, Stephen, GLASER, Antoine, *Ces messieurs Afrique 2. Des réseaux aux lobbies*, Calmann-Levy, 1997.

SMOUTS, Marie-Claude (dir.), *La situation postcoloniale. Les postcolonial studies dans le débat français*, Presses de Sciences Po, 2007.

TRAORE, Aminata, *L'Afrique humiliée*, Fayard, 2008.

VERGES, Françoise, *La mémoire enchaînée. Questions sur l'esclavage*, Albin Michel, 2006.

VERSCHAVE, François-Xavier, *La Françafrique. Le plus long scandale de la République*, Stock, 1998.

VERSCHAVE, François-Xavier, *De la Françafrique à la Mafiafrique*, Tribord, coll. Flibuste, 2004.

WOLTON, Dominique, *Demain la Francophonie*, Flammarion, 2006.

Quelques œuvres romanesques

BA, Amadou Hampâté, *Mémoires* (t. I *Amkoullel enfant peul* (1991) t. II *Oui mon commandant* (1994))

BA, Mariama, *Un chant écarlate* (1981)

BESSON, Patrick, *Mais le fleuve tuera l'homme blanc* (2009)

BETTI, Mongo, *Ville cruelle* (1954), *Le pauvre Christ de Bomba* (1966)

BRUNEL, Sylvie, *Frontières* (2003)

CELINE, Louis-Ferdinand, *Voyage au bout de la nuit* (1932)

CHEVILLARD, Éric, *Oreille rouge* (2005)

CONCHON, Georges, *L'état sauvage* (1964)

CONSTANT, Paule, *Ouregano* (1980), *Balta* (1983) et *White spirit* (1989)

DADIE, Bernard, *Climbié* (1953)

DEMAISON, André, *L'étoile de Dakar* (1948)

DIAW, Mohamed Lamine, *Les épines de la rose* (2005)

DIOME, Fatou, *Le ventre de l'Atlantique* (2003)

DIOP, Boubacar Boris, *Kaveena* (2006)

DUCHEMIN, Jacques, *L'empereur* (1981)

DURIN-VALOIS, Marc, *Noir prophète* (2004)

FARGUES, Nicolas, *Rade terminus* (2004)

GARY, Romain, *Les racines du ciel* (1956)

GIDE, André, *Voyage au Congo* (1927), *Le retour du Tchad* (1928)

GRAINVILLE, Patrick, *Les flamboyants* (1976)

KANE, Cheikh Hamidou, *L'aventure ambiguë* (1961)

KOUROUMA, Ahmadou, *Le soleil des indépendances* (1970), *Monné, outrages et défis* (1990), *En attendant le vote des bêtes sauvages* (1994), *Allah n'est pas obligé* (2000)

LABAYLE, Denis, *Parfum d'ébène* (2004)

LAYE, Camara, *L'enfant noir* (1953)

LE CLEZIO, Jean-Marie Gustave, *Onitsha* (1993), *L'Africain* (2005)

LONDRES, Albert, *Terre d'Ebène* (1929)

LOPES, Henri, *Le chercheur d'Afriques* (1990), *Le lys et le flamboyant* (1997)

MABANCKOU, Alain, *Bleu-Blanc-Rouge* (1998), *Black Bazar* (1987)

MAD, Lucio, *Dakar en barre* (1997)

MARAN, René, *Batouala. Véritable roman nègre* (1921)

MIANO, Leonora, *Tels des astres éteints* (2008), *Les aubes écarlates* (2009)

MONEMEMBO, Thierno, *Les écailles du ciel* (1986), *Le roi de Kahel* (2008)

ORSENNA, Erik, *Madame Ba* (2003)

OYONO, Ferdinand, *Une vie de boy* (1956)

ROLIN, Jean, *L'explosion de la durite* (2007)

ROYER, Louis-Charles, *La maîtresse noire* (1928)

RUFIN, Jean-Christophe, *Les causes perdues* (1999)

SEMBENE, Ousmane, *Les bouts de bois de Dieu* (1960)

SIMENON, Georges, *Le coup de lune* (1933), *45° à l'ombre* (1936) et *Le blanc à lunettes* (1937)

TILINAC, Denis, *L'Irlandaise du Dakar* (1989)

VILLIERS, Gérard (de), *SAS broie du noir* (1961), *SAS La piste de Brazzaville* (1991)

Quelques films

La croisière noire de Léon Poirier (1924)

L'homme du Niger de Jacques de Baroncelli (1939)

Il est minuit docteur Schweitzer de André Haguet (1952)

La pyramide humaine de Jean Rouch (1961)

Un cœur gros comme ça de François Reichenbach (1961)

La noire de… de Ousmane Sembène (1966)

Petit à petit de Jean Rouch (1970)

Soleil O de Med Hondo (1970)

La victoire en chantant de Jean-Jacques Annaud (1976)

Les bronzés de Patrice Leconte (1978)

Coup de Torchon de Bertrand Blier (1981)
L'Africain de Philippe de Broca (1982)
Le léopard de Jean-Claude Sussfeld (1984)
Sarraounia de Med Hondo (1986)
Tabataba de Raymond Rajaonarivelo (1987)
Y'a bon les Blancs de Marco Ferreri (1987)
Le camp de Thiaroye de Ousmane Sembène (1988)
Chocolat de Claire Denis (1988)
Blanc d'ébène de Cheikh Doukouré (1992)
Le ballon d'or de Cheikh Doukouré (1993)
Le grand blanc de Lambaréné de Bassek Ba Kohbio (1994)
Les caprices du fleuve de Bernard Giraudeau (1995)
Le maître des éléphants de Patrick Grandpierret (1995)
Port Djema de Eric Heumann (1996)
Les couilles de l'éléphant de Henri Joseph Koumba Bididi (2000)
L'Afrance de Alain Gomis (2001)
Paris selon Moussa de Cheik Doukouré (2002)
Indigènes de Rachid Bouchareb (2006)
Africa Paradis de Sylvestre Amoussou (2007)
Retour à Gorée de Pierre-Yves Borgeaud (2008)
Expérience africaine de Laurent Chevallier (2008)
Safari de Olivier Baroux (2009)

TABLE DES MATIÈRES